8.95

FERNANDO CHUECA GOITIA

LA CATEDRAL DE TOLEDO

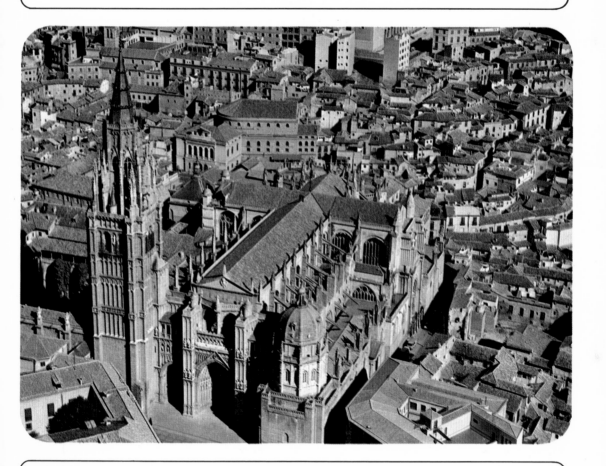

EDITORIAL EVEREST

LEON – MADRID – BARCELONA – SEVILLA – GRANADA – VALENCIA
ZARAGOZA – BILBAO – LAS PALMAS DE GRAN CANARIA

Fotografías: Oronoz

Dirección artística: Emilio Marcos Vallaure

1. *La Catedral en medio del caserío toledano. Los volú-menes más altos, a la izquierda, son las iglesias de San Marcos, San Pedro Mártir y San Ildefonso.*

© by EDITORIAL EVEREST - Carretera León-Astorga, Km. 4,500 - LEON (España)

ISBN 84-241-4719-7 (Español)
ISBN 84-241-4772-3 (Idiomas)
Depósito legal: LE-132/1975
Litografía Everest - Carretera León-Astorga, Km. 4,500 - LEON (España)

LA CATEDRAL DE TOLEDO

I PARTE

ARQUITECTURA; HISTORIA

TOLEDO Y SU CATEDRAL

Nos es muy difícil trazar los antecedentes de la actual Catedral y ver de qué manera la historia de Toledo está presente en la protohistoria de este templo. Toledo arqueológicamente es una ciudad menos conocida de lo que pudiera pensarse, dada su nombradía y su papel siempre preeminente. Pero es posible que sea, por esto mismo, por lo que se han borrado de tal manera los vestigios de las sucesivas ciudades que han ido escalando la roca toledana, la peñascosa pesadumbre de que nos hablaba Cervantes.

¿Cómo sería la Toledo romana?, la Toledo que tomó por la fuerza Marius Fabrius a los Vetones y otras tribus indígenas, el año 193, antes de Cristo, según nos informa Tito Livio. Poquísimo podemos decir, porque la historia de estos centros políticos principales

va triturando sus propias realizaciones sustituyéndolas por otras. El circo romano en la vega por su tamaño indica que la Toletum romana tuvo su importancia. Podría pensarse que los romanos con su preferencia por la urbanización de grandes ejes y calles rectas tendrían su principal asentamiento en las vegas bajas; pero no lo creemos así, la ciudad principal estaría en lo alto de la acrópolis rocosa, bien fortificada y con su castillo o pretorio en alto. De esto no cabe duda desde el momento que un acueducto conducía el agua hasta lo más alto de la ciudad, donde se encuentra la llamada Cueva de Hércules, que no es otra cosa sino una cisterna o depósito de aguas romano.

Es de suponer que donde actualmente se asienta la Catedral existirían edificios importantes, templos, basílicas y que acaso no estaría lejos el foro de la ciudad. Pero no sabemos nada de estos edificios de la Toletum romana, ni de la importancia que pudieron alcanzar. En cambio, quedan vestigios ornamentales y sobre todo capiteles que, como siempre, aprovecharon los visigodos y los árabes. Deberíamos esperar más fortuna tratándose de la Toledo cristiana y visigoda por el esplendor inusitado que alcanzó y por todas las memorias que la crónica y la historia nos han conservado. Sí, documentos, mas no piedras.

Después de sufrir los cristianos de Toledo crueles persecuciones en tiempos del Pretor Daciano, señal de las fuertes raíces que había echado la nueva doctrina, aquella ciudad mártir se convertiría en el centro espiritual de la España cristianizada. En el año 400 de nuestra Era, Toledo fue testigo del primer Concilio de la España cristiana. Los concilios fueron ganando en importancia y prestigio, que aumentaron el de la ciudad. Cuando Leovigildo estableció en Toledo la corte se produjeron fricciones entre los gobernantes arrianos y los prelados cristianos que concluyeron con la conversión de Recaredo durante el Tercer Concilio, el año 589. Desde entonces Toledo vive una de las etapas más gloriosas de su historia, la que le otorgó la capitalidad de la Hispania visigótica, la España unida, antes de la invasión musulmana y del fraccionamiento que trajo consigo la Reconquista.

Entonces vivió uno de sus más preclaros hijos, San Ildefonso. Era sólo un niño cuando arrastrando las iras de su padre abandonó su noble casa y se refugió en el Monasterio de San Cosme y San Damián de Agali, donde gozaba fama de santidad el monje Eladio, que años después le ordenaría sacerdote. Varón de santidad, de gran cultura y buenas letras, Ildefonso fue gran amigo de San Isidoro de Sevilla, al que acompañaba durante sus estancias en Toledo con motivo de los Concilios y en otros viajes de apostolado. Llegó a ser Arzobispo de Toledo y es hoy patrón de la ciudad y su santo por excelencia. Su defensa de la virginidad de María (*De perpetua virginitate beatae Mariae*) le valió, según leyenda piadosa, que bajara de los cielos la propia Virgen a imponerle ella misma una preciosa casulla. La imposición de la casulla a San Ildefonso es el emblema de la Catedral, que vemos aparecer por todas partes, desde el tímpano de la puerta principal o del Perdón donde preside, hasta el más escondido detalle de una capilla o el bordado de una ropa litúrgica. El Greco representó al glorioso arzobispo toledano en el acto de escribir, inspirado por la imagen de la Virgen, su *De perpetua virginitate*, en su mesa vestida de terciopelo rojo como un austero, enjuto y aristocrático eclesiástico del siglo XVI. Para el Greco, San Ildefonso, sin duda alguna, era como aquellos toledanos febriles, macilentos, de grandes ojos oscuros, soñadores y extáticos que conocía y trataba, pero, ¿cómo sería Ildefonso y cómo sería la iglesia titular de su cátedra? No lo sabemos, ni lo sabremos nunca. Podemos conjeturar que la Catedral toledana estaría donde la de ahora, sobre poco más o menos y que es muy posible que tuviera la forma de una basílica de tres o de cinco naves, reedificada con columnas y capiteles romanos. Las cubiertas serían de madera con una rica armadura policromada y el ajuar sería suntuoso y espléndido como correspondía a la iglesia primada.

2. *Exterior de las naves por el costado de mediodía. El juego de los arbotantes resulta claro y expresivo. La cúpula que aparece es la de la Capilla Mozárabe. La gran torre emerge dominante.*

3. *Arbotantes de la girola que se distribuyen radialmente y se bifurcan al pasar de la primera girola a la segunda y de ésta a las capillas absidales.*

En el mismo lugar se acoplaría la mezquita o aljama mayor de la ciudad, cuando con la fulminante conquista de la península la capital que no supo defender Don Rodrigo en las riberas del Guadalete cayó pronto en manos agarenas. No sería de extrañar que las edificaciones visigodas, con adaptaciones, reformas y ampliaciones, sirvieran luego para rendir culto a Alah de la misma manera que, cuando vueltas las tornas, los cristianos reconquistadores utilizaron la mezquita mayor para el culto catedralicio.

Habían pasado trescientos setenta y tres años y Alfonso VI entraba por la puerta vieja de Bib-Sagra, conquistador, con un florido séquito en el que figuraban Rodrigo Díaz de Vivar y el abad de Sahagún, Don Bernardo de Sedirac. Transpusieron la Bib-al Mardum y se pararon en la pequeña mezquita de este nombre. Dice la leyenda, en Toledo todo son leyendas, que el caballo del rey se arrodilló como magnetizado. Unas piedras se desprendieron y apareció un Cristo iluminado por una lamparilla de aceite que no se había apagado desde que los cristianos lo ocultaron y tapiaron al ver llegar a los musulmanes. Quedó consagrada la mezquita con el nombre del Cristo de la Luz con el que hoy se conoce.

El rey había prometido solemnemente, cuando la ciudad capituló sin resistencia, que se respetarían los usos y religión de los vencidos e incluso sus edificios de culto, que no serían tocados para nada. Pero, en una de las largas ausencias del Rey, la reina Constanza y el primer arzobispo de la Toledo reconquistada, Bernardo de Sedirac, ambos franceses, tomaron por sorpresa la mezquita, instalaron provisionalmente un altar y colocaron una campana en el almi-

4. *Cuerpo ochavado que corona la gran torre y que obedece al estilo flamígero de Hannequín de Bruselas.*

6. *Cúpula de la Capilla de la Virgen del Sagrario.* ▶

◀ **5.** *Interior de la Capilla de la Virgen del Sagrario, de severo estilo escurialense.*

nar para convocar a los cristianos. Según el padre Mariana, el suceso estuvo a punto de costar la ruina de la ciudad. La ira del monarca no tuvo límites y no eran para aplacarla ni las súplicas de la reina ni las exhortaciones del arzobispo. La paz vino por parte de los mismos musulmanes que, con doble gesto de tolerancia, aceptaron como legítima la usurpación. El negociador de los despojados fue el prudente alfaqui Abu-Walid y por eso todavía puede verse en un pilar de la Capilla Mayor la figura que lo representa.

En consecuencia, la gran mezquita de Toledo quedó convertida en catedral cristiana y eso durante años y más años hasta el reinado de Fernando III. Con eso no fue ninguna excepción en la Edad Media española, donde durante muchos años las mezquitas sirvieron como iglesias y algunas todavía lo hacen, especialmente la de Córdoba. Además de Toledo, fueron durante mucho tiempo

mezquitas-catedrales notables las de Jaén y Sevilla y menos tiempo las de Granada, Málaga y Almería. De todas maneras nada sabemos en concreto de la Aljama de Toledo, que no nos ha dejado huella visible de su existencia, al contrario de lo que sucede con Sevilla que, si desaparecida, nos ha dejado cumplidos vestigios, empezando por la Giralda y el Sahn o patio de los Naranjos y que se puede reconstruir con bastante seguridad y saber cómo era. Es de suponer que, la de Toledo, sería una mezquita columnaria, con arquerías sencillas de herradura sobre columnas muy diversas, la mayoría aprovechadas, romanas y visigodas. Una idea de lo que podrían ser las arquerías de la mezquita-catedral nos la da —a nuestro parecer— la de la iglesia de San Salvador descubierta y restaurada hace no muchos años. Gómez-Moreno incluso, apunta si ésta del Salvador «sería la mezquita mayor toledana, y no aquella otra que, reciente la conquista y a

despecho de Alfonso VI, fue convertida en catedral» *(Ars Hispaniae*, III, p. 210). Pero no parece lógico, ni por razones urbanísticas, que hacen preferente el emplazamiento de la actual catedral, ni por razones de prestigio, que llevarían a situar la catedral en el templo más importante de la sojuzgada religión.

Cuando Don Rodrigo Jiménez de Rada, figura eminente de la iglesia y consejero de Alfonso VIII, fue elevado a la sede primada debió sentirse angustiado al considerar su maltrecha catedral-mezquita, baja de techo, vetusta y ruinosa. Su predecesor había tenido que demoler una parte oscura y llena de columnas y Don Rodrigo tendría que sostenerla y reforzarla hasta que pudiera labrar otra nueva.

CARACTERISTICAS SINGULARES DEL NUEVO TEMPLO

El año 1222 una bula papal autorizó al arzobispo a disponer para la construcción que

7. *Altar del[...]*
nífico Tra[...]
rente de N[...]
Tomé, don[...]
imaginació[...]
artista se de[...]
da y dona[...]
materia, dó[...]
su capriche[...]
convierte en[...]
iridiscente.

8. *Detalle[...]*
Gloria que[...]
al óculo[...]
Transpare[...]
que perm[...]
adoración e[...]
cramento d[...]
revés del[...]
Mayor.

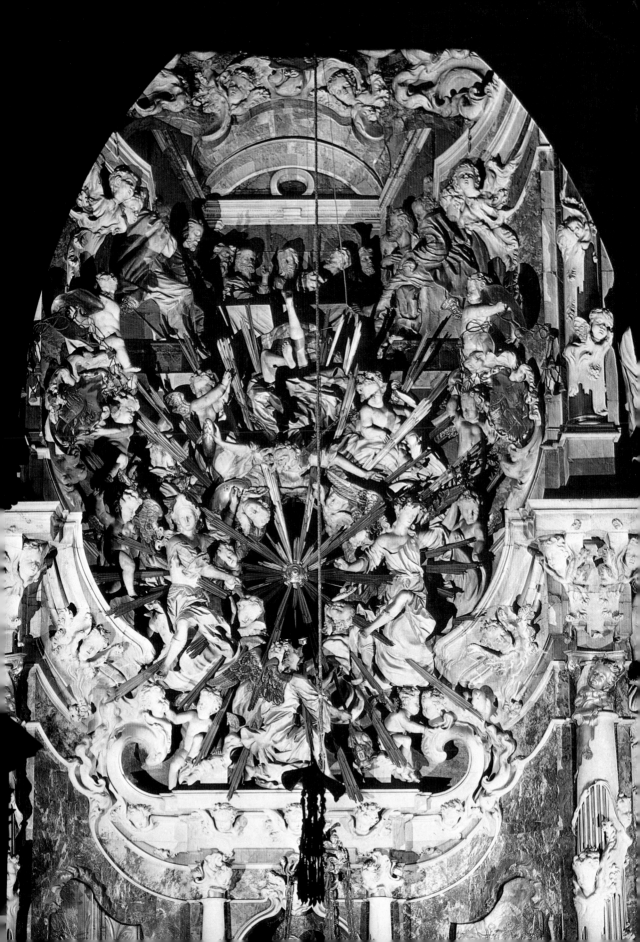

ansiaba la tercera parte de todas las rentas de fábrica de las iglesias de su diócesis durante cinco años, plazo que luego fue prolongado. El año 1224 ya se había comenzado a erigir la Catedral pero la solemnidad de la primera piedra no tuvo lugar hasta 1226, en mes y día que se discuten, cuando pudo acudir Fernando III.

Seguidamente hablaremos de las características de la gran Catedral, sus precedentes, estílo, maestros que intervinieron y demás, ahora digamos que es una estructura del mejor gótico fráncés del siglo XIII, pero castellanizada. Esto último nos interesa especialmente. «Al penetrar en su interior —nos dice Torres Balbás—, en la enorme sala de más de 120 metros de longitud y cerca de 60 de ancho, obra maestra de calma y armonía, nos hallamos en un mundo muy distinto al de las catedrales francesas, a pesar de la semejanza de sus formas. En lugar del magnífico ritmo ascendente de estas, la toledana, sus cinco naves en escalón, sin grandes diferencias de altura, sin efectismo alguno, es de proporciones equilibradas. La cabecera parece de poca elevación, achatada, si la com-

paramos con la de cualquier catedral francesa. En cosa tan esencial en arquitectura como es el sentimiento del espacio, difiere radicalmente el templo castellano de los modelos franceses de los que deriva.» El análisis, muy justo, del maestro Torres Balbás (Ars Hispaniae, VII, p. 69) vamos a tratar de considerarlo a la luz de una interpretación o modesta teoría nuestra.

En parte, juzgamos, que las proporciones de la Catedral provienen de la antigua mezquita. Observemos que las catedrales españolas de cinco naves, Toledo, Sevilla y Granada, fueron elevadas sobre el suelo de grandes e importantes mezquitas. Las proporciones de la Sala de Oración de una mezquita tal y como fueron sistematizándose desde la mezquita mayor de los Omeyas en Damasco y de las mezquitas de Kairuan y de Córdoba convienen más a un templo de cinco naves que de tres. Si sobre la planta de una mezquita e igualando sus mayores dimensiones colocamos una iglesia gótica de tres naves parte del espacio quedará perdido. Dicho de otra manera, el templo gótico no pisará exactamente sobre la sala de oración musul-

9. *Original cubierta barroca de la lucerna o cámara de luz del Transparente.*

10. *La fachada occidental con la curiosa torre única.*

mana. En cambio si ensanchamos el templo cristiano hasta convertirlo en una iglesia de cinco naves, la nueva estructura se superpondrá casi exactamente sobre la vieja. Los cabildos catedralicios no eran partidarios de este desperdicio de espacio y por razones de orgullo y de religiosidad aspiraban a que su templo amparara todo el espacio disponible. Primero para que su superficie fuera tanto o más de la que tuvo cuando la mezquita cambió de culto y segundo porque el suelo primero robado al infiel y luego purificado y consagrado debe respetarse acogiéndolo a sagrado.

Si contemplamos la Catedral de Toledo veremos algo relativamente anómalo, en lo que nadie suele reparar: las naves extremas son algo más anchas que las intermedias. Si pensamos con lógica, dado el escalonamiento de las naves de un templo gótico las proporciones debían ser descendentes tanto en altura como en anchura. Pero aquí la ley se quiebra. Las naves extremas sí son más bajas pero en cambio son más anchas. ¿Cómo se explica esta anomalía, que llega a ser casi una discordancia¿ A nuestro juicio la explicación es la siguiente: El tracista ideó una iglesia gótica canónica de tres naves con la consabida correlación y proporción entre nave mayor y colaterales, luego se limitó a llenar el espacio sobrante disponible con otras naves, de la anchura requerida. Así se dio el caso de esas naves extremas de la Catedral toledana muy bajas y anchas que producen una impresión poderosa y tranquila.

Vengamos, ahora, a las elevaciones. La parte más antigua del templo, la más pura, la más interesante, es la de la cabecera. Si la disposición de las elevaciones de la cabecera se hubiera seguido en todo el conjunto la Catedral de Toledo hubiera ganado mucho en fuerza, originalidad e interés. Realmente fue una pena que, por la evolución natural de los tiempos y de los gustos, el primitivo esquema se alterara, suprimiéndose los triforios que eran la sal del templo toledano. Ya sabemos que el gótico al avanzar en su progreso va eliminando elementos de fábrica y ampliando la superficie de las vidrieras. Pa-

sado el crucero, hacia los pies del templo, los grandes ventanales absorben el triforio y se amplían, quedando como residuo una simple línea horizontal pétrea, que corta los arcos de la tracería. Los ventanales son mucho más diáfanos y ligeros, acercándose a los de la Catedral de León. El esquema más moderno, de los tramos de los pies se clarifica y se simplifica, pero pierde mucho de la originalidad de la cabecera. El discurso queda algo apagado, pierde fuerza retórica.

Donde las elevaciones de la Catedral tienen toda su original energía es en la cabecera, lo primero que se construyó. Aquí encontramos la más espléndida girola de toda nuestra arquitectura gótica, primero por sus proporciones grandiosas, luego por la riqueza de temas arquitectónicos, por último por su original abovedamiento. La girola es doble, como corresponde a una iglesia de cinco naves y los tramos trapeciales de las bóvedas se convierten en una suma de tramos rectangulares y triangulares. Esto lleva consigo que el número de pilares del presbiterio que vuelven (4) se convierten en ocho en los pilares que separan ambos deambulatorios y en 16 en los pilares arrimados a las capillas absidales; esto obliga a que estas capillas sean de distinto tamaño, alternativamente. Más grandes las que corresponden a los tramos rectangulares del abovedamiento y más pequeñas las que corresponden a los tramos triangulares. Exteriormente los arbotantes tienen que bifurcarse, desde los pilares del presbiterio a los del primer deambulatorio y desde estos a los del segundo. Esta ingeniosa solución tiene precedentes en la cabecera de la catedral de Le Mans. Las catedrales francesas que más tienen que ver con la nuestra son la de París, Bourges y esta de Le Mans, pero, evidentemente, no copia a ninguna, separándose de ellas por su menor esbeltez y proporciones más aplomadas.

Se ha especulado mucho sobre los triforios mudéjares de la cabecera, rasgo castizo que, insertado en las líneas de un templo franconormando, ponen una nota de carácter local. Se trata de dos tipos de triforio a distintos niveles. El triforio bajo, por encima de los

11. *Parte central, Puerta del Perdón, de la fachada occidental. Salvando la portada, el revestimiento granítico de la fachada es posterior y pertenece al siglo XVIII.*

arcos que separan la primera nave de la girola de la segunda, es de arquillos lobulados sobre columnas pareadas en el sentido de la profundidad. El triforio alto, sobre los arcos del presbiterio es más complicado, con arcos entrecruzados, típicamente mudéjares. En el triforio del crucero se vuelve al diseño gótico. ¿Estos temas mudéjares existirían en la mezquita y sería propósito de los capitulares conservar algo de ellos por haberse familiarizado con su presencia? ¿Quién sabe? La mezquita toledana fue ampliada a principios del siglo XI, como sabemos por la inscripción de un brocal de pozo, que se conserva en el convento de San Pedro Mártir. ¿Pudo entonces presentar motivos parecidos a éstos? También cabe pensar que durante los años que la mezquita estuvo convertida en catedral se mejorara y enriqueciera su fábrica con obras de carácter mudéjar, como tantas otras que se elevaban en la ciudad. En cualquier caso, no nos extrañaría que ésto fuera un rasgo más de la pervivencia de la mezquita en la catedral.

MAESTROS. PRINCIPALES ETAPAS DE LA CONSTRUCCION

Hasta hace pocos años, la gloria de esta inmensa fábrica se asignaba a Petrus Petri por una lápida que se encuentra en la sacristía de los Doctores, trasladada de una capilla derribada para construir el Sagrario. La lápida no dejaba lugar a dudas. Fallecido Petrus Petri (acaso Pedro Pérez) en 1291, dice la inscripción en tosco latín, que fue «maestro de la iglesia de Santa María de Toledo, cuya fama cundió por sus buenos ejemplos y costumbres, el cual construyó este templo y aquí descansa, pues quien tan admirable edificio hizo, no sentiría la cólera de Dios».

Pero a pesar de todo esto se presentaba un escollo fundamental. Si murió en 1291 y la Catedral se empezó antes de 1224, por muy avanzada que fuera su edad, debía de ser un adolescente cuando se empezaron las obras y no parece verosímil que se le encargara obra de tamaña responsabilidad.

Posteriormente apareció un documento, fechado en 1227, que nombra a un «maestro, Martín, de la obra de Santa María de Toledo». Estaba casado con María Gómez y el deán le concedió un corral propiedad del Capítulo. En la lista de rentas percibidas por la Catedral en 1234, figura el «maestro Martín de la obra» como inquilino de una casa de ella. En escrituras más tardías aparece otro Martín, albañil y otro maestro de albañiles llamado Juan Martín, todos de posible descendencia directa o colateral del primero.

Mientras no aparezcan nuevos documentos a este maestro Martín podemos asignarle la traza y comienzos de la Catedral. Su apellido indica que podría ser un francés, traído de aquel país por don Rodrigo Giménez de Rada para trazar e iniciar la construcción. En 1234 desaparece por muerte o ausencia y le sucedería en la dirección de las obras Petrus Petri. Martín levantaría las capillas de la girola y poco más y Petri completaría los deambulatorios, construyendo los famosos triforios de toledano casticismo. Pudo también, este último, reducir el fondo del presbiterio y bajarlo de altura, acusándose con esto su españolismo.

A fines del siglo XIII debía estar terminada la cabecera y apenas empezadas las naves. Según Torres Balbás, las naves más antiguas serían las de los dos primeros tramos del lado de la epístola, vecinos al crucero. Las molduras de las ojivas son semejantes a las de la girola. Durante el siglo XIV se fueron levantando lentamente las naves, después de tomar el acuerdo de suprimir los triforios. Por desgracia todo es incertidumbre en esta etapa oscura de la construcción, pues el primer maestro de que tenemos noticias, después de Petrus Petri, es un tal Rodrigo Alfonso que puso la primera piedra del claustro el año 1389 en tiempos del arzobispo don Pedro Tenorio († 1399). Este prelado realizó muchas obras en la Catedral, como la Puerta de Santa Catalina en la panda sur del claustro y muy típica del goticismo trecentista toledano, teñido de un cierto mudejarismo por la profusión de labores en relieve plano. El mismo

12. *Detalle del chapeado de las hojas de la Puerta del Perdón, original muestra de estilo gótico-mudéjar.*

Tenorio fundó la capilla claustral de San Blás, famosa por sus frescos de la escuela sienesa y por la intervención de Starnina.

Más adelante aparece otro maestro, Albar Martínez, que a veces figura con el apellido González y que fue aparejador de las canteras de Olihuelas de las que se extraía la piedra blanca para la construcción de la Catedral y que se encontraban en el término de Olías del Rey. Albar Martínez comenzó la obra de la fachada principal o de poniente y siguió la iniciada construcción de la Torre. Es la única que se construyó de las dos previstas, pues, la otra no se llegó a elevar y en su base se estableció la capilla mozárabe,

fundada por el cardenal Cisneros, que se coronó por una linterna de Enrique Egas, rematada más tarde por una cúpula, debida al hijo del gran pintor cretense, Jorge Manuel Theotocopuli.

La torre elevada por Albar Martínez es pieza extraordinaria, de un arte difícil de clasificar, pues, sus ascendentes líneas góticas se mitigan por una serie de ímpostas formándose unos tableros o recuadros de sabor mudéjar. En el friso de mármol negro que corona el primer cuerpo, figuran los escudos en mármol blanco del arzobispo Martínez de Contreras (1422-1438). Hacia 1442 debió terminarse el cuerpo prismático, sin que sepamos cómo pensaría coronarla Albar Martínez. La torre, la terminó el flamenco Hannequin de Bruselas, con un esbelto cuerpo octogonal acompañado de pináculos y arbotantes y rematado en flecha con tres coronas como una tiara. En este cuerpo figuran las armas del arzobispo Juan de Cerezuela (1434-1442). Recuerda el remate de la torre de la Catedral de Delft y su florida filigrana contrasta con la rudeza y sequedad del cuerpo prismático en asociación afortunada.

Los maestros flamencos, que vinieran con Hannequin de Bruselas, constituyendo un número y brillante equipo en el que figuraron Egas Cueman, Enrique Egas, Juan Guas y otros fueron los artífices que dieron fin a la gótica estructura y la alhajaron con portadas, capillas y otras obras suntuarias que iremos analizando brevemente en la parte descriptiva de este opúsculo.

Las bóvedas de los pies de la nave mayor, que fueron las últimas que se cerraron, se debieron construir bajo la dirección de Juan Guas o de éste y su sucesor Enrique Egas, en tiempos del cardenal Mendoza, terminándose todo en 1493. Obra tan insigne, monumental y grandiosa como la catedral toledana, ocupó los afanes del cabildo durante doscientos sesenta y nueve años, más de dos siglos y medio de incesantes trabajos, durante los cuales, la Catedral no dejaba de crecer y de enriquecerse. Sin embargo, el fin del siglo xv no fue, ni mucho menos, el punto y hora en que se acabaron las grandes obras de la Catedral, pues los siglos xvi, xvii y xviii verán surgir en torno al gran templo muchas e importantes obras satélites, no sólo de exorno, escultura y artes industriales, sino de auténtica arquitectura.

Precisamente, el siglo xvi, gran siglo para Toledo, es aquel en el cual se suceden en la silla primada, los más grandes prelados que la han gobernado y que de hecho, fueron los verdaderos príncipes de la ciudad, un tiempo cabeza del Imperio. Si la Toledo Imperial, adquiere ese título por ser la corte del Emperador Carlos, éste, luchando en todos los frentes políticos y guerreros de Europa, pudo permanecer muy poco en su capital,

18

13. *Seis apóstoles a cada lado decoran las jambas de la grandiosa Puerta del Perdón, constituyendo una espléndida serie iconográfica del siglo XIV. Aquí vemos los cinco primeros del lado derecho, que encabeza la noble figura de San Pablo.*

14. *El apacible rincón donde se abre la Puerta del Reloj en el brazo norte del crucero. La reja que cierra el compás es obra de Juan Francés.*

donde casi siempre estuvo como de visita en cortas y a veces tristes jornadas, como la de la muerte de la Emperatriz. Los prelados eran la autoridad que permanecía, los verdaderos señores de Toledo.

Pero este poder aristocrático-religioso era otro que el del Estado y en relativo conflicto con él, por eso, cuando el cardenal Cisneros asumió ambos poderes, al ser arzobispo y a la vez regente del reino, se fue a gobernar a Madrid, anticipando una elección que luego hizo Felipe II. En Toledo el poder de la Iglesia era muy fuerte para hacerse compatible con otro, y Felipe II muy celoso de su autoridad.

La serie de los que yo llamo arzobispos, príncipes y mecenas, comienza con don Pedro González de Mendoza (1483-1495), que terminó de cerrar las bóvedas catedralicias y construyó en el presbiterio su italianizado sepulcro a la manera de Sansovino. A Mendoza sucedió el gran Jiménez de Cisneros (1495-1517). Durante los veintidós años de su pontificado, realizó Cisneros obras considerabilísimas en su templo titular. El conjunto de Antesala y Sala Capitular son obra suya meritísima y, también, la acomodación de la Capilla Mozárabe por él fundada. Mandó labrar el gigantesco retablo principal ampliando la capilla mayor y construyó el claustro alto, para que los canónigos vivieran en comunidad y la librería. A su muerte le sucedió Guillermo de Croy (1518-1521), noble de nación flamenca que gobernó la diócesis sin residir en ella. Luego vino a regir la mitra Alfonso de Fonseca, antes arzobispo de Santiago (1524-1534). A Fonseca se debe la capilla de los Reyes Nuevos, sacada de planta por Covarrubias. Otro prelado principesco fue don Juan Távera (1534-1545), que vive los años gloriosos para el arte del renacimiento toledano. A su munificencia se debe la maravilla del Coro de Berruguete y Vigarni, las fachadas interiores de los testeros del crucero, la del sur con el órgano del emperador, la capilla de San Juan o del Te-

15. *Tímpano profusamente decorado de la Puerta del Reloj o de los Reyes, la más antigua de la Catedral.*

16. *Puerta Nueva o de la Alegría, más comúnmente conocida como Puerta de los Leones por los de su reja.*

soro y múltiples portadas y adornos varios. Don Juan Martínez Siliceo (1546-1557) era preceptor del príncipe Felipe cuando, a la muerte de Távera, el emperador lo elevó a la mitra toledana. Era de carácter duro y acre, riguroso y ordenancista, pero también gustaba del fasto de las artes y nos dejó en la Catedral la más suntuosa reja que pueda nunca imaginarse y que forjó Francisco de Villalpando para cerrar la Capilla Mayor.

La serie de estos grandes mecenas se interrumpe con Fray Bartolomé Carranza de Miranda, fraile dominico de muy ilustre cuna. Carranza, que había servido con talento y acierto a Carlos V y Felipe II, cayó en desgracia poco después de ser nombrado arzobispo (1558) y sufrió un largo y estremecedor proceso inquisitorial, que consumió su vida hasta morir absuelto en Roma en 1576.

Durante cerca de 18 años, la diócesis estuvo virtualmente vacante y esto fue muy doloroso, incluso para las artes, que perdieron el esplendor que Carranza, sin duda, hubiera mantenido.

Poco se pudo hacer en la Catedral hasta los muy últimos años del siglo XVI cuando se eleva, en el lado norte, el departamento que comprende, en unidad compositiva, la Capilla del Sagrario, el Relicario, Sacristías y patio y casa del Tesorero. Fue una idea del cardenal Gaspar de Quiroga (1577-1594), viendo la mala disposición del nicho donde se adoraba a la Virgen en el antiguo Sagrario y la poca correspondencia de todas aquellas partes y dependencias que por este lado tenía el templo. Quiroga mandó formar planos y trazas al maestro mayor Nicolás de Vergara el Mozo. Felipe II los aprobó en 1592, concediendo licencia para derribar el Hospital del Rey, que allí estaba y para trasladarlo donde está ahora, separado de las construcciones del Ochavo y Sacristía por una calle recta. Se empezaron en 1594 las obras del Sagrario y poco después las del nuevo hospital. Era arzobispo el cardenal Alberto (1595-1598), que luego casó con doña Isabel Clara Eugenia y fue gobernador de los Países Bajos. Le sucedió don García de Loaisa, que sólo estuvo un año al frente de la diócesis; por lo tanto, toda la gloria de la nueva construcción recayó en don Bernardo de Sandoval y Rojas que gobernó desde 1599 hasta 1618. Este prelado fue quien dio gran impulso a las obras, que llevó a su cargo Vergara hasta su fallecimiento en 1606. Le siguió en la dirección, el gran escultor y arquitecto toledano Juan Bautista Monegro y a partir de 1624, en que murió, Jorge Manuel Theotocópuli, el hijo del Greco. Trabajaron muy diversos operarios en todos los oficios, maestros italianos en los revestimientos de mármoles, y pintores como Carducho y Caxes en los frescos del Sagrario. La decoración interior del Ochavo o relicario, corrió a cargo de Bartolomé Zumbigo y Felipe Lázaro de Goiti y las pinturas al de Francisco Ricci y Juan Carreño.

En la capilla del Sagrario se enterró el cardenal Sandoval y Rojas que hizo tanto por honrar a la imagen de la Virgen como a sí mismo y su familia, al labrar esta capilla-panteón. Don Elías Torno solía decir que este departamento de la Catedral era como un pequeño Escorial trasladado a la ciudad mudéjar. Y así es. Vergara, Monegro y Theotocópuli siguieron los gustos imperantes en la España del último cuarto del siglo XVI y como buenos seguidores de Juan de Herrera, levantaron sus edificaciones en bien escuadrado granito y las coronaron de cúpulas y chapiteles y empizarradas cubiertas.

Si el siglo XVII vio elevarse estas obras de tanto sabor escurialense y herreriano, el siglo XVIII nos preparaba una estupenda sorpresa: el Transparente, que el Cabildo quería ejecutar para poder adorar el Sagrario del Altar Mayor por su reverso y para iluminar por transparencia dicho Sagrario y su Camarín, de aquí su nombre. Fue la obra predilecta del arzobispo don Diego de Astorga y Céspedes (1720-1734), y la que ha inmortalizado a una de las figuras más interesantes de nuestro arte barroco, el escultor, pintor y arquitecto Narciso Tomé. Hacia el ángulo inferior de la derecha del retablo mármoreo, según se mira, hay grabada una inscripción latina que traducida dice: «Narciso Tomé, Arquitecto Mayor de esta Santa Iglesia Primada, delineó, esculpió y a la vez pintó por sí mismo toda esta obra compuesta y fabricada de mármol, jaspe y bronce.» Como dice, con una cierta ironía Ramón Parro, Tomé era un «estuche» que de todo sabía y a todo se arrojaba.

El Transparente es un gran retablo marmóreo que hace de trasaltar al reverso del Alta Mayor y que se ilumina por un rompimiento de la bóveda central de la primera girola, que recibe la luz de un gran camaranchón o linterna. Todo ello obedece a una unidad compositiva y estilística que se inserta con no disfrazada violencia en la girola de la Catedral gótica. Esta obra ensalzada hasta el delirio y combatida luego hasta la execración, hoy goza de interés universal entre los estudiosos del barroco, como Nikolaus Pevsner, que la emparejan en invención, osadía e ilusionismo, con las mejores producciones de Bermini, Borromini, los hermanos Assan, Baltasar Neuman, etc.

Desde el punto de vista del simbolismo religioso, el Transparente es el más estupendo himno a la Eucaristía que puede encontrarse. Todo es alusión al Pan de los Angeles y

La Puerta de los Leones es la obra magna de Hannequín de Brus y su escultura, del mejor arte flamenco, es la que raya más alto [t]oda la Catedral junto con la de Berruguete. Detalle del apóstol Pablo.

a todas aquellas escenas que en cierto modo son premoniciones del Sagrado Misterio. Así, en el cuerpo inferior del retablo encontramos bellos relieves de bronce que representan a Abigail, ofreciéndole el pan y vino a David para templar su ira contra Naval y al sacerdote Achimelec entregando a David la espada de Goliat y el pan consagrado. En la linterna o rompimiento vemos algunos pasajes de Gedeón, principalmente el sueño del pan subcinerario que bajaba del cielo al campamento de los madianitas. Cohortes de profetas llevan en tarjetones, testimonios de sus adivinaciones eucarísticas y parecen descender en cascada desde lo alto con los mensajes de una apoteósis gloriosa.

El retablo propiamente dicho es una cóncava composición en dos órdenes de columnas, con lo cual su superficie contrasta con la convexidad de la girola. En este estupendo nicho, a pesar de la aparente confusión y tumulto, se marca claramente un eje compuesto por la mesa de altar, hornacina de la Virgen Madre, óculo o transparente rodeado por una gloria de ángeles, cenáculo y copete o coronación con el escudo catedralicio (la Virgen imponiendo la casulla a San Idefonso). La secuencia, como puede verse está muy bien encadenada con un centro o polo de atracción que es el óculo elíptico del Transparente, motivo y razón del trasaltar y protagonista del mismo.

Este óculo, que ilumina el Sagrario, parece repetir, con sus rayos flamígeros y sus arrebatadas figuras angélicas el óculo o gloria que Bernini puso encima del Altar de la Cátedra de San Pedro. Es un tema que se impondrá en el barroco y que aquí alcanza una ejemplar postulación. Encima, naturalmente, la Cena, símbolo máximo del Misterio Eucarístico, parece flotar en esta Gloria.

La concepción arquitectónica es de un dinamismo exhuberante, la forma anichada mueve las superficies mientras las cornisas de ambos órdenes superpuestos en lugàr de mantenerse horizontales, descienden rápidamente en forma curva provocando ilusorias perspectivas. La cadencia rítmica tiene algo de musical con modulaciones de danza y contradanza, todo flexible y sinuosamente encadenado. Los mármoles adquieren calidades de tegumento vivo que, desgarrado a trozos, permitieran ver tejidos o vísceras internas. Las columnas aparecen como el torso despellejado del sátiro Marsias, dando una sensación de algo martirizado y sometido a un angustioso proceso de descomposición. El barroco no ha podido llegar a más en el camino de la ilusión, del movimiento, de lo que se hace y se deshace, se construye y se destruye a sí mismo en una constante agitación.

En esta Catedral que, como urna fabulosa, recoge obras de arte de todas las épocas, todos los estilos, todas las maneras y tendencias, cada una de ellas representada por ejemplares de primer orden, no faltan tampoco pinceladas del academicismo dieciochesco y del neoclasicismo que vino luego.

Don Ventura Rodríguez nos dejó una atildada muestra de su arte en el Altar de San Ildefonso en la capilla de este mismo nombre. Antes de 1780 había allí un retablo gótico, que nos describe Ponz, y que compondría mejor con la arquitectura del recinto. Debió ser opinión de don Francisco Antonio Lorenzana, dedicar al Santo Arzobispo, patrono de Toledo, un altar digno de su significación y lo encargó a Ventura Rodríguez, que era su arquitecto predilecto, con el que había trazado grandiosos proyectos para su Catedral y Palacio Arzobispal, que en muy corta medida pudieron llevarse a cabo. Pero el arquitecto murió en 1785 y quien le sucedió, en el favor de Lorenzana, fue Ignacio Haan, notable arquitecto neoclásico, discípulo de Sabatini. Este construyó la puerta Llana, que por su disparidad con el resto de la vetusta catedral gótica es obra que levanta no pocas controversias. Sin embargo, es un propileo jónico de impecable diseño. Se terminó el año 1800, cuando hacía dos años que Lorenzana, poco grato a Godoy, se había desterrado en Roma. La puerta Llana cierra, pòr ahora, la serie de grandes construcciones en torno a la Catedral gótica. El mismo Haan nos dejó otra muestra de su riguroso neoclasicismo en el altar de la Sacris-

18. *La nave mayor desde los pies del templo con el trascoro en primer término.*

tía que enmarca el Expolio del Greco. Es también de mármoles como el de San Ildefonso, con esculturas de Mariano Salvatierra, el escultor dieciochesco que más trabajó en la Catedral. Se debe a la munificencia del infante-arzobispo don Luis María de Borbón (1798-1823) que sucedió a Lorenzana y que está enterrado en la misma Sacristía, en un monumento neoclásico, obra del escultor Valeriano Salvatierra, hijo del ya nombrado don Mariano.

Muy largo ha sido el recorrido desde los años del glorioso San Fernando y don Rodrigo Jiménez de Rada, hasta éstos en que gobernaba la diócesis un débil y bondadoso príncipe borbónico, hijo a su vez de otro arzobispo, don Luis Antonio de Borbón, hermano de Carlos III, y tío del rey Fernando VII. No han pasado a la historia con los mismos timbres Fernando III y Fernando VII, pero como celosos historiadores, tenemos que decir que entre estos dos reyes de nombre Fernando se encierra la historia monumental de la Catedral Primada de España.

19. *Facistol del coro que corona un águila de bronce cuyas alas desplegadas sirven de atril.*

II PARTE

DESCRIPCION DEL MONUMENTO, CAPILLAS Y ANEJOS

Es imposible hacer una descripción detallada de toda la Catedral, sus innumerables capillas y dependencias, sus altares, retablos, rejas, vitrales, sepulcros y memoriales diversos; las enormes riquezas acumuladas, sus joyas artísticas de todo tipo, bien sea orfebrería, eboraria, esmaltes, tejidos, tapices, etc.; sus pinturas, desde los monumentales frescos o grandes cuadros de Altar hasta los primorosos códices miniados. Es un mundo casi inabarcable y que exigiría una obra monumental en varios volúmenes. Sólo podemos pasar por encima aludiendo a lo más esencial e importante como si se tratara de un catálogo animado. Como al hablar de la arquitectura e historia ya hemos hecho mención a muchos aspectos de la Catedral y sus anejos procuraremos no repetirnos para que el lector de ambas partes obtenga lo más sustancioso de tan vasto monumento y pueda hacerse una idea lo más completa de él.

Comenzaremos por los exteriores, fachadas y portadas, seguiremos por el interior destacando los recintos fundamentales y luego haremos un breve recorrido por las capillas, señalando al curioso, aquello que sea más digno de su atención.

EXTERIORES Y FACHADAS
DE LA CATEDRAL

Al contrario de lo que sucede con otras catedrales como Burgos, León, Sevilla, Salamanca o Segovia, los exteriores de la Catedral de Toledo están muy enmascarados en el dédalo de callejuelas y encrucijadas que la rodean. Como dijimos, la Catedral de Toledo es un hecho insólito por su goticismo franco-normando en el ambiente oriental y mudéjar de la Toledo medieval. Fue como una grande y soberbia imposición de la Iglesia universal, que no podía, por más tiempo, mantener la sede primada de Castilla en una mezquita. La voluntad de la Iglesia se hizo con la magnificencia que hemos visto, pero parece como si la ciudad oriental y mudéjar hubiera tomado luego venganza y hubiera ocultado con su abigarrado caserío, la insolente fábrica. Por eso la Catedral se incorpora e integra admirablemente en la ciudad y al no tener más que una torre puede pasar como un alminar surgiendo del magma urbano. Sólo de puntos de vista muy lejanos puede advertirse el gigantesco buque, pero sin que aun así disuene del conjunto.

La fachada principal es lo que queda más despejado en la deliciosa plaza irregular que con ella componen el Ayuntamiento y el Palacio Arzobispal. Es fachada pintoresca y difícil de explicar. Se enmarca entre la torre al norte y la capilla mozárabe al sur que iba para la torre. En el centro de los dos cuerpos salientes se desarrollan las tres grandes portadas de poniente. Son las del Perdón, en el centro, la de Juicio Final, a la derecha y la del Infierno a la izquierda. Su arte resulta rezagado, pues se comenzaron a construir en 1418 bajo la dirección del maestro Albar Martínez, y al contemplarlas parecen más bien obra del siglo XIV. Siguiendo la composición establecida desde el siglo XIII, en las sucesivas jambas figura un apostolado presi-

20. *Vista del brazo sur del crucero. Al fondo la Puerta de los Leones por el interior. Encima el órgano del Emperador.*

21. *Un aspecto de la girola con el Transparente visto en escorzo.* ▶

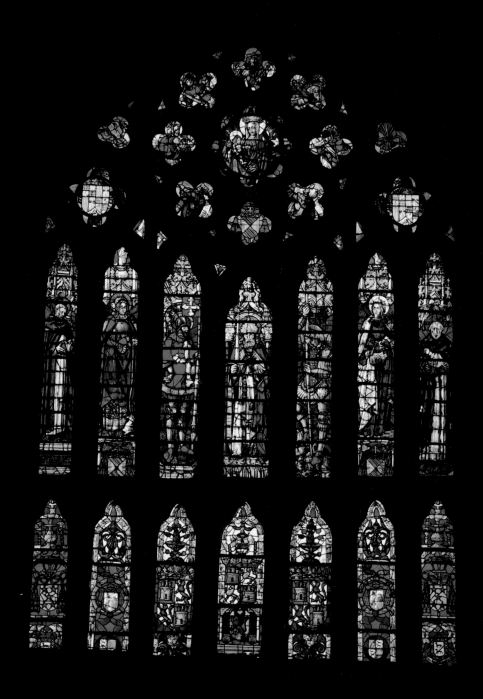

22. *Vidrieras de uno de los ventanales del crucero.*

23. *Rosetón del crucero norte con las vidrieras más antiguas y más bellas de la Catedral.*

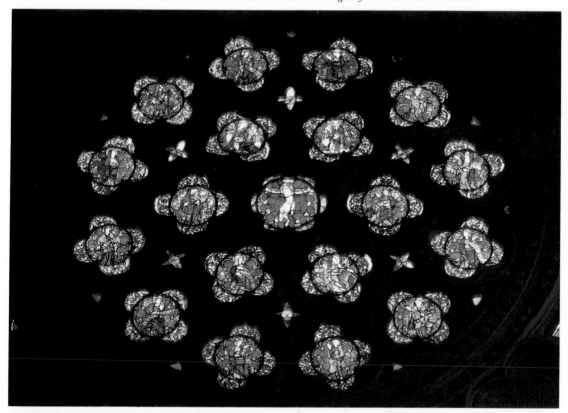

24. *Una de las vidrieras del siglo XVI de la nave colateral del lado de la Epístola, con el escudo del canónigo López de Ayala.*

dido por la figura del Salvador en el mainel que divide la puerta. En el tímpano, lugar destacado para escenas escultóricas, se representa el asunto emblemático de la Catedral: la Virgen imponiendo la casulla a San Ildefonso. No sabemos nada del escultor de estas obras, de un arte correcto, pero frío y convencional. En el tímpano de la portada de la derecha se representa el Juicio Final, que le da nombre. El tímpano de la izquierda sólo tiene una arremolinada decoración vegetal.

Cómo estaría resuelta la fachada antes de la reforma y consolidación que se hizo en el siglo XVIII es algo que no sabemos. Los portales avanzarían entre los contrafuertes y rematarían en gabletes, la gran rosa quedaría en un plano posterior y sobre ella terminaría todo en un piñón con los consiguientes pináculos. Hizo la reforma el arquitecto Eugenio Durango por los años de 1787, es decir, bajo el pontificado del cardenal Lorenzana. Trabajó en la estatuaria don Mariano Salvatierra.

Esta fachada, en general, ha merecido pocos elogios por considerar que se ha desnaturalizado la obra original. No obstante, ya hemos visto que la fachada principal se inició a comienzos del siglo XV, cuando el arte gótico declinaba antes de renacer en la época de los Reyes Católicos. No debía de ser gran cosa y la piedra de baja calidad, porque se descompuso en seguida. El cometido de Durango y Salvatierra era difícil y la solución no deja de ser interesante y conjuga bien con la torre y la capilla mozárabe, dando al conjunto un sentido pintoresco y movido. De la grandiosa torre y exterior de la Capilla ya hemos tratado en la primera parte.

La portada más antigua de la Catedral es la del Reloj, que recibe también los siguientes nombres: de la Feria, porque daba salida a la calle donde hace años se celebraba ésta; de la Chapinería, porque da a esta calle, donde antiguamente se vendían los chapines; de las Ollas, porque se ven unas tinajas en su decoración escultórica; de los Reyes, por la adoración de los magos en su iconografía, y del Niño perdido o Jesús entre los

doctores, por la misma razón. Es obra de comienzos del siglo XIV y en ella destaca un gran tímpano dividido en cuatro franjas o frisos, poblados de figurillas. El ciclo iconográfico comprende la Anunciación, Natividad, Adoración de los Reyes, Degollación de los Inocentes, la Huida a Egipto, La Circuncisión, Jesús entre los doctores, La Presentación, el Bautismo, las Bodas de Caná y por último, en el vértice, el Tránsito de la Virgen. En el parteluz preside la portada la imagen de la Madre de Cristo y a los lados estatuas de reyes y santas, obra de Juan Alemán, que también trabajó el siglo XV en la portada de los Leones. Encima de la fachada gótica, Durango llevó a cabo la consabida consolidación como en las restantes fachadas.

El rincón que forma la puerta del Reloj es de los más atractivos. Queda encerrada entre las edificaciones del Sagrario y ochavo por un lado y las del claustro y capilla de San Pedro por otro. El angosto compás está cerrado por una bellísima reja gótica de Juan Francés.

La más moderna de las grandes puertas catedralicias es la de los Leones, llamada así por los que coronan las columnas de la verja que la antecede. En tiempos se llamó la Puerta Nueva y luego la de la Alegría por celebrar la Asunción de Nuestra Señora a los cielos. Corresponde al brazo meridional del crucero y es la primera de la Catedral en excelencias artísticas.

Se labró por los años 1460-66, siendo arzobispo don Alonso Carrillo de Acuña. Dio las trazas Hannequin de Egas Cueman y trabajaron con éste, como escultores, Pedro y Juan Guas y Juan Alemán, maestros todos flamencos que gobernaban un numeroso taller de lapicidas y entalladores. La puerta es el mejor conjunto que puede darse de la estatuaria hispano-flamenca del siglo XV. La Virgen del Parteluz, los discípulos del Señor y las Marías de las jambas son de una nobleza natural no exenta de gracia y las escenas en forma de friso sobre las dos puertas que representan la muerte de la Virgen y su entierro de una calidad y vivacidad sor-

25. *El gran Retablo Mayor, obra de Copín de Holanda y sus múltiples colaboradores, terminado al expirar la Reina Católica.*

prendentes. Los grupos de querubines y ángeles músicos que cantan la subida de la Virgen a los cielos, son de un primor y delicadeza insuperables. Desdice en el tímpano abovedado la Asunción de la Virgen de Salvatierra. Como en las restantes fachadas, Durango y Salvatierra forraron la decrépita fábrica gótica.

Completan tan maravilloso conjunto las broncíneas, puertas que cinceló con su elegancia habitual Francisco de Villalpando y que no suelen verse por estar protegidas por mamparos de madera.

INTERIOR DE LA CATEDRAL. VIDRIERAS

No hace falta que insistamos más sobre la grandeza y serenidad que respira el interior del inmenso templo de cinco naves, crucero, doble girola y proporciones desusadas con sus 120 metros de longitud y 60 de anchura. Nos remitimos a la primera parte.

La estructura de un templo gótico tiende según va avanzando el siglo XIII hacia la diafanidad, que en algunos casos, como en

27. *La Ultima Cena, una de las mejores escenas del Retablo Mayor.*

nuestra Catedral de León, llega al máximo posible, justificando el dicho popular de que la Catedral no tiene paredes. No es éste el caso de la Catedral toledana de firme y recia arquitectura aplomada sobre sus treinta y seis gruesos pilares sin contar los de la girola. Pero esto no quita para que vaya también aumentando, con el tiempo, la superficie de los ventanales y para que, al suprimirse el triforio en las naves, gane frente a la piedra el vidrio.

Los vitrales son muy hermosos y constituyen una grandiosa serie que desde el siglo XIV hasta el XVII sigue la evolución de este arte con ejemplares de gran calidad. Es lástima que no pudieran hacerse vidrieras en el siglo XIII por no permitirlo el lento avance de las obras. Las primeras que se montan pertenecen al siglo XIV pero tienen toda la lozanía, viveza de color y monumentalidad de diseño de las mejores de la anterior centuria. Las vidrieras más viejas y sin duda las más bellas son las del rosetón del crucero norte y algunas de la girola menos brillantes de color. Luego vienen las vidrieras de la capilla Mayor y del brazo norte del crucero por el lado de saliente con figuras de santos y apóstoles de gran monumentalidad.

En el siglo XV encontramos vidrieros documentados como Jacobo Dolfin y su criado Luis que aparecen, según datos conocidos, a partir de 1418. Trabajan en los ventanales de la Capilla Mayor y el crucero. Más tarde, a partir de 1439, aparecen Pedro Bonifacio, el maestro Cristóbal y el monje alemán Pedro, que llevan a cabo las vidrieras del crucero meridional y algunos ventanales de la nave mayor por el lado de la epístola. Continúa la serie, algo más tarde, el maestro Enrique, toledano, lo que indica que se ha constituido una artesanía local.

Así llegamos al arte del siglo XVI, mucho más dibujístico y con temas naturalmente renacentistas. Maestros conocidos son Vasco de Troya (activo en 1502), Juan de Cuesta (activo en 1506) y Alejo Ximénez (activo en 1509-1513). Este último realiza los ventanales de las naves laterales y de la fachada de poniente. Nicolás de Vergara realiza las vidrieras del rosetón de la puerta de los Leones.

Durante el siglo XVIII se completan las que faltan, repitiendo modelos y cayendo en un amaneramiento decadente. Francisco Sánchez Martínez es uno de los últimos vidrieros que trabajan en la Catedral, resucitando viejas técnicas y progresando en otras. A comienzos del siglo XVIII restaura con talento algunos ventanales deteriorados. Las tristes consecuencias de la guerra civil obligaron a

28. *Parte superior del Sepulcro del Cardenal Mendoza en el presbiterio de la Catedral.*

29. *Enterramientos del Rey Alfonso VII y de Doña Berenguela en el presbiterio, lado del Evangelio.*

una intensa labor de recuperación y restauración y gracias a ella hoy podemos contemplar uno de los mejores conjuntos de la vidriería gótica y renacentista en nuestra patria.

LA CAPILLA MAYOR

Como dijo Maurice Barrés, el escritor francés enamorado de Toledo y el Greco, no hay en el mundo lugar más ricamente alhajado que la Capilla Mayor de la Catedral de Toledo. Es algo difícil de describir por la fastuosa acumulación de riquezas que se amontonan las unas a las otras hasta ofuscar la vista, que tiene que detenerse para apreciar las partes y entender el orden que allí reina. La Capilla Mayor fue objeto de una profunda transformación en tiempos del cardenal Cisneros. El presbiterio catedralicio estaba cortado en dos y de sus dos bóvedas, la poligonal quedaba separada constituyendo la capilla de los Reyes Viejos. El presbiterio, de suyo exiguo, resultaba por demás angosto e inapropiado para templo tan monumental. Cisneros luchó con grandes dificultades, pero al fin consiguió demoler la capilla real y ampliar el recinto para poder situar en el fondo el gran retablo que abraza la total perspectiva.

Está compuesto el retablo por cinco calles con multitud de escenas y dos calles menores en los extremos. Todo se asienta sobre un banco o predela y su altura sube hasta las bóvedas mismas en cinco pisos, que no mantienen una línea horizontal, sino escalonada. Siguiendo esa línea escalonada la pulsera o moldurón que la remata forma una gran escalera. Tan importante como la estatuaria es la filigrana de pilarcillos, agujas, doseletes y chambranas, obra delicadísima de Peti Jean. En la calle central, la más ancha, se suceden una figura sedente de la Virgen con el Niño, chapada de plata (en la predela), luego el Sagrario, como una gran custodia gótica tallada en madera, más arriba la Natividad y por último la Ascensión de la Virgen. A un lado y otro, escenas de la vida y Pasión de Cristo. Se corona todo por un monumental calvario, Cristo crucificado entre la Virgen y San Juan y los dos ladrones. Tan impresionante despliegue de imaginería ocupó a una serie de artistas eminentes entre los que sobresalen Copin de Holanda, Sebastián de Almonacid y Felipe Bigarny, imagineros; Francisco de Amberes y Juan de Borgoña, pintores, que llevaron a cabo el dorado, estofado y policromía, y Peti Juan que fue el delicado entallador de las filigranas decorativas. Se terminó, cuando gobernaba la diócesis el cardenal Cisneros, el mismo año 1504 en que murió Isabel la Católica. Puede considerarse, estilísticamente, como una de las últimas explosiones del arte gótico más florido, cuando empezaba en nuestra patria a presentirse el Renacimiento.

La Capilla Mayor estaba cerrada lateralmente por dos magníficas rejas pétreas del más puro arte trecentista. Eran como dos cancelas de ritmo apretado y brillante. Una de ellas, la del Evangelio, ha desaparecido al colocarse en su lugar el sepulcro del cardenal Mendoza. Este cerramiento calado es de lo más bello que puede encontrarse en la Catedral y pudo terminarse en tiempos del arzobispo don Pedro de Luna (1404-1414), cuyas armas figuran entre blasones policromados de Castilla y León. Nada puede darse más gentil y elegante que esta tracería profusamente decorada de estatuaria y rematada por un coro de ángeles volantes.

El poderoso cardenal don Pedro González dejó el encargo, a su muerte, de que se le labrara sepulcro en la Capilla Mayor, al lado del Evangelio. Salió fiadora de su última voluntad la propia reina, como albacea suya. Hubo que luchar con el cabildo pero a la postre allí yace el cardenal en un grandioso cenotafio de estilo renacimiento y de sansovinesca traza en el que, según bastantes probabilidades, trabajó Domenico Fancelli. Se construiría en la primera década del siglo XVI y su arquitectura influyó mucho en los comienzos del plateresco toledano y seguntino y en la formación del joven Alonso de Covarrubias.

En la parte poligonal del presbiterio que-

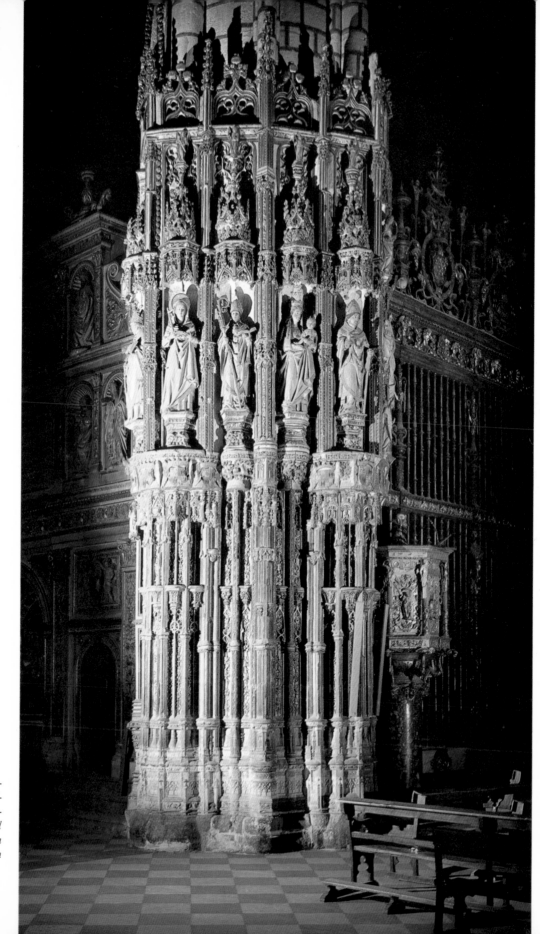

Lujosa or-
entación pé-
del pilar to-
del lado del
ngelio, a la
da de la
lla Mayor.

31. *Pilar del presbiterio llamado del Alfaquí.*

fonso VII y de doña Berenguela y al lado de la Epístola los de Sancho IV y doña María de Molina. Todos ellos en urnas cinerarias oblicuas para que puedan contemplarse sus bultos. Las imágenes de las reinas son del siglo XIV y las de los reyes, en madera, fueron labradas por Copin de Holanda en 1507 y coloreadas por Francisco de Amberes. Las tracerías, que en forma de copetes coronan los sepulcros, son del gótico más exhuberante y de línea más flexuosa. Enrique Egas y Copin de Holanda pudieron intervenir en su diseño. Por la parte de fuera los paños del presbiterio se adornan con una prolija labor flamígea, donde no faltan escenas, escudos y figuras diversas. Intervinieron en tan suntuosos cerramientos Martín Sánchez Bonifacio (lado del Evangelio) y Juan Guas (lado de la Epístola).

Otra obra notable de Copin de Holanda la encontramos en la capilla del Sepulcro que se hizo, como una cripta, debajo del Altar Mayor. Para entrar en ella tenemos que salir del presbiterio y por uno u otro costado descender por unas puertas enrejadas. Es un espacio abovedado con tres altares. El central es el dedicado al Santo Entierro y el que presenta el hermoso grupo de Copin de Holanda, precursor de otros de Jacobo el Indaco y de Juan de Juni. El retablo de la derecha tiene pinturas de Luis Medina y de Francisco Ricci y el de la izquierda, dedicado a San Julián, tiene una talla de este arzobispo y dos tablas trecentistas italianas, San Pedro y San Pablo. Según José Gudiol su autor, influido por el ciclo de Andrea Orcagna, se relaciona estrechamente con el anónimo autor del retablo de la capilla de San Eugenio (que a su tiempo veremos), con el de las tablas de la capilla del Bautismo y con la fastuosa decoración de la capilla claustral de San Blás, siendo todo ello posible consecuencia de la documentada estancia de Gerardo Starmina en Toledo.

No hay un centímetro cuadrado en este presbiterio que no esté labrado, trabajado, cincelado con múltiples y prolijas labores o poblado de estatuas, figuras, figurillas, carátulas, monstruos, genios o grifos fantásticos.

daban por resolver los tramos entre los primeros y segundos pilares liberados al desaparecer la capilla de los Reyes Viejos. En estos tramos es donde se dispusieron los enterramientos reales, en arcosolios elevados para no embarazar el uso de la planta. Al lado del Evangelio están los sepulcros de Al-

32. *Reja de Francisco de Villalpando que cierra la Capilla Mayor y que podemos considerar la pieza príncipe de la rejería española.* ▶

PLVS

ADORATE DNM I...
ATRIO SCTO EI...

Los pilares están recamados de ornatos cuando las estatuas grandes o pequeñas dejan algún respiro entre ellas. Uno de estos pilares (lado de la epístola) se llama del Alfaqui, porque una imagen representa al prudente doctor mahometano que dirimió la querella por la posesión de la vieja mezquita; otro se llama del Pastor, por aquel legendario que guió a los ejércitos de Alfonso VIII en la batalla de las Navas, al que allí se recuerda en efigie.

Por último, el recinto de este *Santa Santorum* se cierra por la más monumental de todas las rejas españolas del Renacimiento y la más exquisita de línea, traza y ornato. Es obra insigne del rejero y tratadista Francisco de Villalpando, toledano. Se terminó de forjar en 1548, siendo arzobispo el cardenal Siliceo. Tiene un zócalo de mármol, un doble orden de estípites y pilastras y una crestería de muy alambicado dibujo, con flameros candeleros y emblemas de un preciosismo típicamente manierista. En el centro campea un bellísimo blasón del emperador y un gran crucifijo que cuelga de las bóvedas. Forman conjunto con la reja, los dos ambones de bronce cincelado sobre columnas de mármol brecha.

Con ser extraordinaria, la reja del Coro, de la misma fecha, obra de Domingo de Céspedes, palidece al lado de la de Villalpando.

EL CORO

El lugar de la Alabanza se separa poco del Santuario del Sacrificio, sólo la anchura del crucero. El espectador que se encuentra entre las dos gigantescas rejas de hierro y bronce, no sabe a dónde mirar; a través de los espesos varales todo refulge bajo el sol de la tarde. Si miramos a oriente los rayos pasando por el policromo rosetón de la fachada vienen a romperse contra el oro del retablo; si miramos hacia poniente, a contraluz de la incendiada rosa, se recortará la silueta de Jesús entre Moisés y Elías, del grupo de la transfiguración de Berruguete. En este centro del crucero no hay reposo para la vista

43

33. *El escudo del Emperador en el copete de la reja de Villalpando. El hierro se convierte en joya aurífera y esmaltada.*

que quedaría herida, estremecida y fatigada sin el alivio del arte que somete el fasto a sus divinas leyes de proporción, armonía, ritmo, compás, forma y color y que hace posible que todo se funda y se aquiete en una orquestación única y solemne.

Entrar en el Coro y sentirse encerrado en un precioso espacio, es todo uno. Nos parece hallarnos en un patio o claustro diminuto rodeado de la más gentil arquitectura. Esto se debe al acierto de colocar la sillería alta detrás de una arquería renacentista sobre delicadas columnas de mármol que parece en pequeño la de un patio plateresco. La traza de esta gentil arquitectura se debe a Covarrubias, maestro mayor e indiscutible de la Catedral y de la Imperial Toledo. Pudo, también, recibir sugerencias de Diego de Siloé, que fue partícipe del concurso promovido por el Cabildo en 1533 para llevar a cabo la sillería alta.

Digamos antes que el coro se había empezado en tiempos del cardenal don Pedro González de Mendoza por el maestro Rodrigo Alemán, del que nos queda toda la sillería baja de los prebendados y racioneros, terminada en el año 1495. En sus respaldos vemos bellísimos relieves que representan la guerra y conquista de Granada, empresa que embargaba el pensamiento de los castellanos por aquellos años. Pero la sillería superior parecía mezquina y este fue el motivo de que se transformara y su labor, después de noble competición, recayera en las manos de dos insignes escultores, Felipe de Borgoña y Alonso de Berruguete.

En 1539 comenzaron las obras que habían de durar, según contrato, tres años y que no se excedieron mucho más. En los extremos del coro, mirando a la verja, se pusieron dos inscripciones latinas, una celebrando la terminación de la sillería en 1543 y otra que viene a decir: «Tallaron estas labores, así las de mármoles como las de madera, en este lado Felipe de Borgoña y en el opuesto el español Berruguete.» Compitieron entonces los ingenios de los artífices, y de la misma manera competirán siempre los juicios o pareceres de los que examinen esta obra.

Todavía Ponz, Amador de los Ríos o Sixto Ramón Parro, se extendían en consideraciones diversas sobre cuál era el campeón de este torneo artístico, sin decidirse por ninguno, pues si al español otorgaban vehemencia y osadía, al borgoñón le ofrecían la palma de la continencia, el decoro y el refinamiento. Hoy nadie duda que se trata de la lucha muy desigual entre un genio y un notable imaginero del Renacimiento.

La obra de Berruguete, sobre todo en sus tableros de nogal, ya que el cuerpo superior con figuras de alabastro requirió el auxilio de ayudantes como Isidro de Villoldo, Francisco Giralte, Manuel Alvarez, Inocencio Berro, Juan de Guaza y Pedro de Frías, es algo que provoca una emoción indescriptible. Parece mentira que en unos pequeños tableros de nogal puedan encerrarse figuras tan sobrehumanas, que alientan, palpitan y viven en un mundo de exaltación dramática, de pasión, de religiosa trascendencia, de catástrofe, de redención, de esperanza escatológica. Ninguna es una criatura vulgar, humana y realista, como las que con tanta frecuencia caracterizan al arte español. Aquí no se ha descendido al picaresco costumbrismo del siglo XVII, ni a la devoción milagrera, doméstica y feminil que nos trajo la Contrarreforma con sus constantes excitaciones de la sensiblería popular. Todavía estamos en aquel momento grandioso y apasionado en que la antigua Ley y los Profetas estaban a punto de armonizarse con la epopeya homérica, aquella edad en que la religión de Cristo, no necesitaba negar a la cultura clásica ni entender la paganía como una abominación. Precisamente, el canónigo obrero de la Catedral, el que más directamente se ocupó de la realización del coro, era un eclesiástico erudito, cultivador de las bellas letras y amigo de artistas y poetas. Don Diego López de Ayala, traductor de Bocaccio y Sannazaro, se movía en esta atmósfera pretridentina de la que es ejemplo plástico la obra de Berruguete. Sus desnudos como el de esa Eva, redonda y sensual, sus espléndidas anatomías como la de ese Jonás que nos recuerda al Laooconte, el tremendismo miguelangelesco

34. *Uno de los ambones de la Capilla Mayor cincelados por Villalpando como obra de orfebrería.* ▶

del Moisés, la Santa Lucía con su velo sobre la cabeza, como una vestal romana, el ritmo flexuoso del adolescente San Juan Evangelista, la cabeza donatelliana del Bautista, nos ponen frente a un arte religioso que no desdeña la antigüedad clásica ni el perfume itálico del Renacimiento y que en todo momento es una lección de alto y exigente estilo. No falta tampoco un soplo de atormentado manierismo en las figuras más dramáticas, en ancianos barbados e hirsutos envueltos en flotantes ropajes que los convierten en simbólica oriflama de sus crueles destinos. Es el manierismo atormentado del Juicio Final de Miguel Angel con sus racimos de réprobos gesticulantes que parecen señalar el dolor de la humanidad cuando se iban apagando las luces del Renacimiento. Job, Noé, Isaac, algunos venerables apóstoles, nos dan esta imagen de suprema grandeza y dignidad en el dolor.

La obra de Berruguete en la Catedral de Toledo, presidida por el grupo de la Transfi-

guración, una de sus últimas creaciones, realizada como la silla arzobispal en tiempos del cardenal Siliceo, es lo más alto y precioso que encierra la Catedral y ninguna obra de arte de las innumerables que guarda el sagrado recinto resiste la comparación con ella.

Si las figuras de Berruguete no fueran unos modestos tableros sirviendo de respaldo a unas sillas de coro; si estuvieran talladas en mármoles, decoraran el frontón de un gran templo o planearan en una bóveda como las de la Sixtina, resonarían en el mundo entero. El lenguaje más universal de la pintura hizo que el Greco, que no supera al escultor en dimensión artística, saltara de ser una modesta gloria local a ser máxima figura del arte universal. Las limitaciones del vehículo utilizado se lo han impedido hasta ahora a Berruguete.

En el interior del coro de la Catedral se guardan asimismo, algunas joyas artísticas del mayor precio. Sobre el altar de prima,

36. *Un respaldar de la sillería baja del coro con la representación de la toma de Marbella.*

llamado así porque se dedican las misas de Prima inmediatamente después de acabada esta hora canónica, llama la atención una Virgen de mármol del siglo XIV, indudablemente francesa, que se conoce como la Virgen Blanca. No debe pasar desapercibida para el inteligente la balaustrada de hierro y bronce que rodea al altar de prima y el baldaquino o cortinero, obra toda ella del ilustre verjero Francisco de Villalpando, autor de la soberbia reja de la Capilla Mayor y de las hojas de bronce de la puerta de los Leones. Pero lo más precioso son los dos atriles de bronce y estilo dórico que cinceló, con nervioso brío que no empece la corrección académica, Nicolás de Vergara, émulo aquí de Ordoñez o Berruguete. No se sabe qué admirar más, si la pureza de la arquitectura del orden de tres columnas dóricas que sostienen cada atril o la belleza de los relieves o medallas, que representando pasajes del Viejo y Nuevo Testamento los decoran.

Se terminó la obra de Nicolás Vergara el Viejo, ayudado por su hijo del mismo nombre, conocido por el Mozo, por los años de 1570 y costó muchos sinsabores a los artistas llegar a una tasación justa con el Cabildo.

El gran atril o facistol del centro, es pieza más heterogénea, formada por un soporte de alambicada arquitectura gótica, que debe ser de finales del siglo XV que sostiene un águila de bronce con las alas extendidas que fue fundida en 1664 por Vicente Salinas.

No podemos dejar el coro sin antes rodearlo y contemplar sus fachadas exteriores, es decir, los frentes de la caja que lo define y lo encierra como una casita de Loreto dentro de la Catedral. Los costados exteriores del coro han dejado poca noticia de sus artistas y escultores y lo único que sabemos es que se levantaron en la segunda mitad del siglo XIV en tiempos del gran arzobispo don Pedro de Tenorio (1376-1399). La arquitectura de estos frentes es muy graciosa y está bien compuesta. Se organiza sobre una arquería gótica lobulada que descansa en columnas columnas de mármol. Sobre las columnas se levantan unos pilarcitos góticos que dividen los pequeños tramos formando

37. *La Reina de Saba. Respaldar de la sillería alta del coro, por Felipe Bigarny.*

un ritmo bien apretado. En el segundo piso aparecen las escenas o grupos escultóricos con los variados asuntos de la Historia Sagrada. Se protegen los grupos por unos trepados doseletes. El último piso es un antepecho decorado por rosáceas y sobre él sobresalían los pináculos góticos de los que quedan sólo algunos. Sería muy necesario reponer los pináculos y suprimir la baranda de hierro forjado de las tribunas del coro, pues al perder-

38. *Alonso de Berruguete. Job. Tablero de nogal en la sillería alta.*

39. *Alonso de Berruguete. Jonás saliendo de la ballena.*

40. *Respaldo del grupo de La Transfiguración en el coro.*

se estos remates se ha decapitado tan gentil arquitectura trecentista. La escultura no es de una calidad sobresaliente, pero tampoco merece los desdenes que le dedica Parro. Este ciclo iconográfico suple a veces con gracia e ingenuidad ciertos desmayos y torpezas de labra que se hacen fácilmente perdonar.

Es penoso que tanto el trascoro como los laterales fueran rotos con inclusión de capillas que destruyen su ritmo, que era esencial para gustar de esta página arquitectónica. En el trascoro las capillas son tres, la de la Virgen de la Estrella en su centro, la de Santa Catalina a la derecha y la del Cristo tendido a la izquierda. En las dos últimas se recomiendan las bellas rejas del siglo XVI. El centro del trascoro fue alterado al elevarse el grupo de la Transfiguración, cuyo respaldo sobresale. Berruguete compuso este respaldo

con un gran medallón del Padre Eterno, entre los signos de los evangelistas. Luego, Nicolás de Vergara añadió a los lados, dos imágenes de la Inocencia y del Pecado, coloca-
das en preciosas hornacinas clásicas.

    También se rompieron los ritmos de los
paños laterales de este coro con cuatro altares mármoreos de estilo jónico con imágenes
de Mariano Salvatierra. Se terminaron en
1792 y sus santos titulares son, al lado de la
Epístola, María Magdalena y Santa Isabel

41. *Alonso de Berruguete. Relieve alegórico de alabastro situado en
el pedestal del templete de la Transfiguración, al lado de la Epístola.*

de Hungría, y al del Evangelio, San Esteban
y San Miguel.

    Sobre las tribunas del coro se elevan los
dos monumentales órganos, al lado de la
Epístola el más antiguo, dentro de suntuosa
caja churrigueresca, obra del escultor Ger-
mán López, y al lado del Evangelio, el más
moderno, de estilo neoclásico con esculturas

42. *La Virgen Blanca, mármol francés del siglo XIV que preside el altar de Prima del coro.*

de Mariano Salvatierra. El primero, llamado también del Coro del Arzobispo, se acabó en 1758, en el pontificado del cardenal Conde de Teba (1755-1771), siendo de Pedro Liborna el ingenio musical. El segundo, que corresponde al llamado Coro del Deán, es de tiempos de Lorenzana y se acabó en 1794. Completan los instrumentos musicales del coro, dos carillones o ruedas de campanillas de muy bella forja gótica del xv, sujetos en forma de ménsula a los pilares, donde se inicia el coro. En el pilar del lado de la Epístola puede verse la estatua orante del señor de

Vizcaya, don Diego López de Haro, caballero esforzado en la Batalla de las Navas y a cuyos desvelos y caudales se debe la construcción de la nave lateral, desde la puerta de los Escribanos al crucero.

Con la descripción del Altar Mayor y el coro, hemos analizado lo que pudiéramos llamar el centro o corazón de la Catedral, lo más eminente de la misma. El lugar del Sacrificio y el de la Alabanza, unidos por la *via sacra* que atraviesa el crucero, constituyen como una iglesia dentro de la iglesia; aquello que el solemne culto catedral considera básico para realizarse cuando un cabildo numeroso, con los racioneros o beneficiados, los caballeros de las órdenes y las autoridades invitadas, llenaban ciento cuarenta sitiales del coro en las grandes solemnidades. El culto catedral ha decaído mucho en nuestros días, los cabildos se han encogido hasta el extremo, las horas canónicas del rezo se han limitado y han perdido su pompa y hoy resulta apenas explicable esta Catedral dentro de la Catedral, cuyas riquezas nos han asombrado y conmovido. Pero basta comprender la liturgia de otros tiempos para que todo se justifique y para que esta isla en medio de las inmensas naves, santuario del culto y senado de sus más altas dignidades, no nos extrañe por su lustre y sus artísticas riquezas. Ahora

43. *Uno de los atriles de hierro y bronce de Nicolás de Vergara en el coro.*

44. *Cerramiento exterior del coro, labrado en tiempos del Arzobispo Tenorio.*

que hemos visto la parte eminente y central del templo, iremos recorriendo su periferia, donde se suceden las capillas y dependencias, unas pequeñas, otras amplias y desahogadas, pero todas lujosas e interesantes, llenas de recuerdos históricos y de gemas artísticas. Empezaremos nuestro recorrido, como gustaba a don Elías Tormo, entrando desde los pies, es decir, por la fachada de poniente y recorriendo el perímetro de derecha a izquierda en el sentido opuesto al de las agujas del reloj.

PRIMERAS CAPILLAS DEL LADO MERIDIONAL DESDE LA CAPILLA MOZARABE HASTA LA PUERTA DE LOS LEONES

Hagámonos la cuenta de que hemos entrado por la puerta del Infierno o de los Escribanos, aunque por lo general está cerrada y marchando a la derecha nos encontraremos con la portada de la Capilla Mozárabe antes del Corpus Christi, que está situada dentro del cuerpo de lo que pudo haber sido la segunda torre de la Catedral y de cuya transformación ya hemos hablado en la parte histórico-arquitectónica.

Al restaurar el Cardenal Cisneros el rito mozárabe, obtuvo del romano pontífice, que en este recinto pudiera celebrarse la misa y oficio coral, según esta liturgia, privilegio único en la cristiandad.

La portada presenta un arco de medio punto sobre columnas entorchadas y arquivolta del mismo tipo, cerrado por una extraordinaria reja de Juan Francés, forjada en 1524. Encima del arco existe una edícula labrada al extremo, que encierra una Piedad, todo de Enrique Egas. El gótico tardío de este maestro flamenco, llega a un grado de insuperable refinamiento y perfección de detalle y si no fuera porque la Catedral rebosa de obras insignes, esta sola serviría para enaltecerla. El resto del frente de la capilla está pintado en época romántica, imitando claraboyas góticas sobre cuyo fondo destacan los escudos de Cisneros y los del canónigo obrero, el muy erudito don Diego López de Ayala.

Actualmente el interior de la Capilla Mozárabe defrauda un tanto por las sucesivas renovaciones y porque abundan las obras modernas. Sólo quedan de tiempos del Fundador, las tres pinturas de Juan de Borgoña representando la Campaña de Orán, que realizó Cisneros como regente del Reino. En el altar una insípida Virgen en mosaico, encargada en Roma por el cardenal Lorenzana y a los lados, tablas del siglo xv que pertenecieron a la sinagoga cristianizada del Tránsito. La sillería del pequeño coro y la reja son modernas.

Al salir de la capilla nos encontramos, a la derecha, los *sepulcros de los Areedianos.*, don Tello de Buendía, obispo de Córdoba, y don Francisco Fernández de Cuenca, familiar del Papa Sixto IV. Las esculturas son de las primeras obras del que fue luego insigne arquitecto, Alonso de Covarrubias. Detrás de los sepulcros, ocupando el fondo de lo que debería ser la primera capilla del lado de mediodía, está la sacristía de la Capilla Mozárabe.

A continuación viene la *Capilla de la Epifanía*, fundada por el capellán mayor de Enrique IV, don Luis Daza († 1504). Su verja es magnífica en el estilo de Juan Francés y en el interior podemos ver un retablo de pincel, atribuido a Juan de Borgoña en cuya tabla central, una Adoración de los Reyes, da nombre a la capilla. En el Entierro de Cristo de la predela, aparece el retrato del donante.

45. *Organo barroco, llamado del Coro del Arzobispo.*

En el lateral izquierdo se encuentra el sepulcro del capellán y canónigo con bulto bajo arcosolio gótico, de regular mérito.

Disposición muy similar tiene la capilla siguiente de la *Concepción*, fundada por protonotario apostólico y canónigo toledano don Juan de Salcedo en 1502. También luce un retablo de pincel atribuido a Francisco de Amberes. Se compone de nueve pinturas en tres calles y la central representa la Concepción de la Virgen, simbolizada en el abrazo de San Joaquín y Santa Ana. En el lateral del Evangelio, el sepulcro del fundador difiere poco del de la capilla anterior. También la reja con el escudo de los Salcedos y un bello crucifijo es, como todas las de este lado, muy notable.

Después de esta capilla, viene el tramo que ocupa la Puerta Llana y en el pilar de la izquierda puede verse un cuadro que representa La Anunciación, que se atribuye a Vicente Carducho.

La siguiente *Capilla es la de San Martín:* Su verja, espléndida está firmada por «Juan Francés, maestro mayor de las rejas». Es muy digno de consideración el retablo de mazonería plateresca de tres calles con cinco compartimentos cada una. La tabla central representa al titular, San Martín, obispo de Tours. Puede ser de Andrés Florentino o de algún pintor del círculo de Jorge el Inglés. Las otras tablas debieron cambiarse de orden y son de distintas manos. Pudieron trabajar Juan de Borgoña y Francisco de Amberes. A ambos lados se encuentran los sepulcros de los cofundadores, los canónigos don Tomás González de Villanueva y don Juan López de León. Sus bultos yacentes en camas sepulcrales se cobijan bajo arcosolios renacentistas de estilo Covarrubias.

La Capilla de San Eugenio es de las más notables de esta panda catedralicia, pues, en primer lugar, conserva la primitiva arquitectura del siglo XIII. La verja es posible que sea de Juan Francés por similitud con las suyas firmadas. El retablo lo preside la talla de San Eugenio, arzobispo de Toledo, ejecutada por Copin de Holanda. Existen varias tablas de influjo florentino, acaso huella del

paso de Gerardo Starnina por Toledo, a fines del siglo XIV.

Además de varios epitafios, podemos contemplar en esta capilla el sepulcro plateresco del canónigo y obispo don Fernando del Castillo († 1521), obra de Alonso de Covarrubias, y otro mudéjar, que es una de las singularidades de la Catedral. Es el sepulcro del caballero Alguacil de Toledo, don Fernán Gudiel, que murió en 1278. Con los triforios y la puerta de la Sala Capitular, mucho más tardía, es de pocas piezas mudéjares de la Catedral. Es un cenotafio muy sencillo, sin arquitectura ni escultura, pero recamado por una decoración finísima en yeso. Predominan los temas geométricos, alharacas que se decían antes, y todo se corona por una cornisa de mocárabes. Una inscripción en lengua y letra árabes repiten indistintamente: «A la madre de Dios. A la Virgen María.»

Pasada la capilla de San Eugenio, un muro ciego, detrás del que hay una habitación dedicada a archivo de música y por donde se sube al órgano del Emperador, permitió que en 1638 se pintara una colosal figura de San Cristóbal, por Gabriel de Ruedas. Desde la Edad Media, las multitudes aterrorizadas por incendios, terremotos y pestes, rendían culto a este mártir oriental, que cuanto más corpulento, más confianza despertaba.

Inmediatamente nos hallamos ante el magnífico frontis del crucero por su cara interior. Es una gran composición arquitectónico-decorativa en la que intervinieron varios artistas eminentes. El gótico y el plateresco se funden de una manera tan graciosa y agradable, que no sentimos las disparidades de los estilos. Esto, seguramente, se debe al talento de acomodación de Alonso de Covarrubias. La parte baja, con la doble puerta, parteluz y tímpano historiado con la genealogía de la Virgen, pertenece a los artistas de la puerta exterior. A partir del tímpano se forma un retablo plateresco con un gran medallón de la Coronación de la Virgen, obra de Gregorio Pardo, entre dos estatuas de David y Salomón atribuidas a Este-

ban Jamete. Sobre una tribuna o balconcillo la trompetería del órgano del Emperador y más arriba el rosetón gótico del crucero. Completan tan peregrina composición dos sepulcros a los lados de la puerta; el de la derecha, vacío, se dice que estaba destinado a Fray Bartolomé de Carranza y el de la izquierda, con estatua orante sobre el sepulcro guarda los restos del canónigo don Alfonso de Rojas.

CAPILLAS DE LA GIROLA Y SALA CAPITULAR

La resplandeciente girola del templo catedralicio, a la que ya nos hemos referido por su desahogo y original solución de su abovedamiento, está constelada de capillas que giran en torno del segundo deambulatorio.

Las capillas originales eran pequeñas y alternaban de tamaño siguiendo los tramos de las bóvedas. Hoy, este ritmo se ha desfigurado por las grandes capillas de San Ildefonso y de Santiago, que cada una absorbe tres de las antiguas y por otras reformas sucesivas.

Entrando por la girola en seguimiento de nuestro recorrido, la primera capilla que encontramos es la de *Santa Lucía*, hoy llamada de San José. Es una capilla bastante cerrada, lo que permite que en la pared exterior existan relieves y pinturas. Aquí estaba en un marco de mármol el famoso San Juan Bautista de Caravaggio. En el interior se puede observar la traza de su arquitectura del siglo XIII. Se conservan cuadros, epitafios y un tríptico hispano-flamenco. El santo titular (San José) es una talla moderna.

La siguiente es la capilla llamada de los *Reyes Viejos*. Fue restaurada en 1498, cuando

47. *Fresco representando la toma de Orán, situado en el testero central de la Capilla Mozárabe.*

Cisneros desmontó la que había fundado Sancho IV en la parte alta del Presbiterio. De todas maneras, como hemos visto, los cenotafios reales quedaron, ordenados de otra manera, en su antiguo lugar.

Es gala de esta capilla, la estupenda reja de Domingo de Céspedes, con su lujosa crestería de blasones, bichas y flameros. Se forjó en 1529 y lleva escudos del Arzobispo Fonseca. En el interior se puede admirar tres interesantes retablos, el central, de traza plateresca, debido a Comontes (1539), tiene once tablas hispano-flamencas y una Santa Faz donada por Inocencio X y mandada colocar por Felipe IV.

La capilla siguiente, la de *Santa Ana*, es de las minúsculas de la girola. Tiene una buena verja plateresca y el enterramiento del canónigo Juan de Mariana, su fundador.

La capilla de *San Juan Bautista* corresponde a las grandes de la girola y fue reformada en el siglo XV, cerrándose su embocadura por una reja gótica y una tracería pétrea calada. Su altar adquirió en 1790 una traza más o menos neoclásica. En el muro oriental está el enterramiento del Arcediano de Niebla y canónigo de Toledo don Fernando Díaz de Toledo, su fundador. El bulto sepulcral aparece sin adecuación sobre una cajonería. En el muro frontero es notable el relicario con un hermoso crucifijo de marfil. La sacristía de esta capilla era la antigua capilla de San Brito o San Bricio.

A continuación viene la minúscula capilla de *San Gil,* una de las más lindas de la Catedral. Su preciosa reja lleva la fecha de 1573 y la inscripción «Mori Lucrum». El retablito es de mármoles en estilo plateresco-manierista. En el costado de la derecha está el sepulcro del fundador Don Miguel Díaz, canónigo y notario apostólico. Este capitular, que debía de ser de gustos refinados, mandó pintar todo el interior con escenas y decoración de estilo pompeyano, en el gusto de las que por entonces se hacían en el Escorial.

La bóveda siguiente a la Capilla de San Gil, fue en tiempos capilla dedicada a Santa Isabel de Hungría. Ahora sirve de vestíbulo de ingreso a la Antesala Capitular. Una os-

48. *Capilla de la Concepción. Tabla central del retablo atribuida a Francisco de Amberes.*

61

49. *Capilla de San Eugenio. Talla de San Eugenio, arzobispo de Toledo, por Copín de Holanda. Tablas de influjo italiano.*

tentosa portada de piedra, de insinuante traza flamígera con esculturas de Copin de Holanda, da paso a las estancias capitulares.

La primera es la *Antesala Capitular*, pieza de singular encanto y ambigüedad estilística, donde se funden el plateresco nacional, el ambiente italiano que le prestan sus paredes pintadas al fresco y los primeros arábigos. El artesonado de lacería morisca, lleva como alicer un friso plateresco. Es obra del tallísta Francisco Lara. La puerta que da paso a la Sala Capitular presenta amplio guarnecido de yesería mudéjar y carpintería plateresca, todo ello obra de Blandino Bonifacio, ejecutada el año 1510. Los frescos se pintaron un año después, bajo la dirección de Juan de Borgoña, con paisajes, angelitos y guirnaldas todo tan italiano como los escudos de Cisneros y del canónigo obrero en-

vueltos en bellas láureas. Los armarios o roperos de los costados son bellísimos muebles. El de la izquierda es de Gregorio Pardo, hijo de Felipe Bigarny, y el de la derecha una reproducción del siglo XVIII

LA SALA CAPITULAR

Es uno de los interiores más bellos, serenos y armoniosos que nos ha dejado el renacimiento español, pero en una versión genuina que obedece al llamado «estilo cisneros», que toma el nombre del gran cardenal que, en Toledo y Alcalá de Henares, nos dejó ciertas obras de un renacimiento morisco muy *sui generis* en las que intervino su maestro mayor Pedro de Gumiel. La concepción de la Sala Capitular no puede ser más simple: una pieza rectangular de muros planos cubierta con una techumbre en forma de artesa. Se funden aquí, como en la antesala, lo italiano y lo plateresco-morisco, pero tan dispares estilos se integran en unidad asombrosa y peregrina.

El techo-morisco-renaciente es obra de Diego López y Francisco de Lara, obrado entre 1508 y 1510. El alicer o friso es plateresco. La parte alta de los muros está pintada toda ella al fresco constituyendo uno de los grandes conjuntos de pintura mural españoles. Los paneles están divididos entre sí por un orden de columnas pintadas que dan la ilusión de que las escenas se desarrollan en un paisaje exterior, visible tras un pórtico. Son composiciones de Juan de Borgoña, artísta poderosamente influido por los florentinos.

Debajo de estas grandiosas escenas, que representan episodios de la Pasión y de la vida de la Virgen, como si fuera la predela de este retablo, podemos ver la serie de retratos de los prelados toledanos desde San Eugenio (✝ 96) hasta Cisneros (✝ 1518). Están pintados con una cierta monotonía por el propio Juan de Borgoña. Hubo luego necesidad de continuar la lista prelaticia y las efigies se colocaron debajo sobre los respaldares de los sitiales. La serie se inicia con el

50. *Sepulcro del Alguacil Don Fernán Gudiel, en la Capilla de San Eugenio.* ▶

retrato de Guillermo de Croy (1518-21), obra de Comontes, y termina hoy en el de Pla y Deniel. Son notables los retratos de Sandoval y Rojas por Tristán, Moscoso por Ricci e Iguanzo por Vicente López.

La silla arzobispal, en el centro del testero, preside esta asamblea o senado. Labrada en estilo plateresco se dice que la terminó Copin de Holanda en 1514. Sobre ella descansa habitualmente una tabla de la Coronación de la Virgen, muy verosímilmente atribuida a Gerard David.

El bellísimo conjunto cisneriano forma algo así como un edificio adherido al ábside del templo por su costado del mediodía. Sus fachadas son de piedra y se corona por una sobria galería de ladrillo con un artilugio de salientes ganchos de hierro donde se colgaban los cirios a secar.

Volviendo de nuevo al interior de la Catedral y siguiendo nuestro recorrido, después de la capilla convertida en vestíbulo de la Sala Capitular, nos encontramos con una de las pequeñas que está dividida. La parte de abajo se ha convertido en un paso que comunica con unas oficinas y dependencias alrededor de un pequeño patio construido en tiempos del Cardenal Mendoza y la de arriba se dejó para *Capilla de San Nicolás* cuando se hizo el paso. Pasada esta sigue la *Capilla de la Trinidad* que fue renovada en 1520 por el canónigo Gutiérrez Díaz que allí yace en preciosa cama sepulcral renacentista labrada, como el bulto, por Alonso de Covarrubias. El retablo es plateresco, tres calles y predela, y buenas tablas de la época. Es notable la reja.

Desde la capilla de la Trinidad saltamos a la de *San Ildefonso*, una de las grandes de la Catedral, añadidas a la girola y que la desfiguran. La ochavada capilla absorbe tres capillas antiguas, la central grande y las dos colaterales pequeñas. La anterior central pudo estar dedicada desde siempre a San Ildefonso, pues estaba en el centro mismo de la girola, en el eje que preside el templo. Es muy natural que el inquieto Cardenal don Gil Carrillo de Albornoz, arzobispo de Toledo y gran figura de la Iglesia, que renunció

a la tiara, aspirase a enterrarse en la capilla, sobre todas principal, de San Ildefonso. Carrillo de Albornoz murió en Viterbo en 1364 y se trajo su cadáver tres años más tarde. De esta fecha será su sepulcro en forma de túmulo aislado. El sarcófago compuesto muy arquitectónicamente con arquillos góticos lleva en ellos pequeñas esculturas de plorantes.

La capilla pudo construirse en años sucesivos, entre fines del siglo XIV y comienzos del XV pero falta un estudio, bien necesario, sobre su arquitectura, pues es de las primeras donde se impone el modelo de capilla funeraria ochavada que tanto va a extenderse en el siglo XV y a principios del XVI. Sin duda la dignidad del arzobispo sepultado y la memoria del Santo Patrón, también arzobispo, enderezaron los deseos del Cabildo hacia la creación de esta gran capilla central.

Por eso también en tiempos de Lorenzana y queriendo honrar más al Santo titular se sustituyó el antiguo y apropiado retablo gótico tardío por la marmórea máquina de Ventura Rodríguez, que sirve de opulento marco al relieve de Manuel Francisco Alvarez representando la Imposición de la Casulla a San Ildefonso.

Aunque son muchos los sepulcros y otras riquezas artísticas que encierra la capilla, sobrepasa a todos el sepulcro de Don Alonso Carrillo de Albornoz, obispo de Avila, fallecido en 1514. Es obra firmada de Vasco de la Zarza como lo supo ver antes que nadie Don Manuel Gómez-Moreno, primero en valorar la figura del gran escultor renacentista castellano. Cualquier amante del arte y sobre todo aquellos interesados en las primicias del renacimiento castellano no se fatigarán de admirarlo.

Siguiendo nuestro itinerario encontramos a continuación la segunda capilla ochavada en la girola, que queda tangente a la primera, solución poco afortunada que rompe la simetría del templo, pues si solo se hubiera construido la de San Ildefonso se hubiera justificado por su posición central. *La Capilla de Santiago*, es todavía mayor que la de San Ildefonso, bien por la vanidad señorial de su fundador Don Alvaro de Luna, bien porque

51. *Antesala capitular. Puerta de entrada a la Sala Capitular, obra de Blandino Bonifacio.*

al absorber tres capillas de la girola, por la
disposición alternativa de las capillas viejas,
le corresponden dos grandes y una pequeña
y no dos pequeñas y una grande como a la
del Cardenal Carrillo. A este módulo tenían
que atenerse las dimensiones.

Cuando el Condestable y Gran Maestre
de Santiago se hallaba en el apogeo de su poder, por el año 1435, compró la capilla de
Sto. Tomás Canturiense, que aquí había,
allanó el terreno, se ensanchó todo lo que
pudo y preparó las bases de lo que había de
ser su última y solemnísima morada. No se
sabe porque designio, aún en vida, Don Alvaro se había hecho labrar su sepulcro en
forma un poco excéntrica: un bulto de bronce que mediante un resorte se levantaba y
ponía de rodillas al decirse la misa. Pero es
evidente que tan caprichosa fantasía no podía asentarse donde hoy está su sepulcro porque la capilla distaría mucho de estar acabada. Cuando murió decapitado en Valladolid
en 1453 aquel «Gran Condestable, Maestre,
que conocimos tan privado» tampoco debía
de levantar mucho su capilla, cuya construcción corrió a cargo de su mujer Doña Juana
Pimentel, fallecida en 1488, y de su hija
Doña María de Luna que la completaría.
No les faltarían caudales ni tampoco afanes
vindicativos para rehabilitar la memoria del
válido.

Fue Doña María de Luna la que hizo labrar los bultos de sus padres en 1498 y esto
coincidiría con la terminación de la capilla
en cuya construcción intervinieron sin duda
los maestros del equipo de Hannequin de Bruselas que hemos visto trabajar en la Puerta
de los Leones. Acaso sea esta grandiosa capilla el monumento más típicamente flamígero
de todos los que existen en España, donde no
abunda este estilo. El flamigerismo llega a
nosotros tardíamente, importado de Europa
septentrional y pronto desaparece ahogado
por las exhuberancias y frondosos caprichos
del gótico naturalista isabelino, coincidente
con el manuelismo portugués. La capilla de
los Condestables de Burgos, por ejemplo, de
la misma tipología y pocos años posterior ya
no es flamígera, sino de un gótico naturalista

52. *La grandiosa Sala Capitular, creación originalísima del Cardenal Cisneros.*

extremado. Es pues extraño encontrar un flamígero tan depurado y selecto como el de la Capilla de Santiago. Las caladas tracerías pétreas de sus arcos de entrada son de lo más refinado en el estilo y se presentan como los más estupendos ventanales flamígeros que puedan imaginarse. El mismo ondulante y sinuoso trazo encontramos en las labores de claraboya de los arcos ciegos del interior. Puntiagudos gabletes de ascendendencia nórdica, sutiles cairelados, trepados de follage cardinoso, adelgazados nervios que arrancando del suelo se cruzan en la bóveda formando magnífica estrella, son característicos de este arte alambicado y exótico, ajeno al brillo y valentía del léxico español.

Donde la capilla aparece con rasgos más hispánicos es en el exterior. La piedra caliza blanca del interior se ha mudado en el bronco y áspero granito y por fuera más que capilla parece un castillo, con sus matacanes, almenas y garitones. Curiosa contradicción entre la guerrera armadura y los primores del vestido que guarda.

Los dos sepulcros exentos, colocados en el centro y paralelos, de los Condestables, son magníficas piezas de la escultura hispano-flamenca debidas a Pablo Ortiz, que aquí compite con los mejores escultores de su época. Las figuras orantes de los ángulos son soberbias. En el sepulcro del Gran Maestre son caballeros santiaguistas, en el de la esposa frailes franciscanos.

En el paño central de la Capilla luce el elegante retablo de Pedro Gumiel con 14 tablas pintadas por Sancho de Zamora y con una escultura de Santiago en pie, de Juan de Segovia. Se contrató este retablo en 1488 por doña María duquesa del Infantado y en la predela figuran los retratos de sus padres acompañados de San Francisco y San Antonio.

En esta capilla y en arcosolios, arquitectónicamente previstos para que no desdiga su unidad, están enterrados Juan de Luna, hijo único del Condestable; el padre, llamado también Alvaro; el Arzobispo toledano Don Juan de Cerezuela, hermano uterino del fundador, y un tío suyo, también arzobispo,

53. *Sala Capitular. Detalle del fresco de Juan de Borgoña, que representa la Concepción de la Virgen simbolizada en el casto abrazo de San Joaquín y Santa Ana, situado en la pared lateral inmediata al testero a la derecha.*

D. Pedro de Luna. El mausoleo de la familia Luna es hoy, por entronques familiares, de los duques del Infantado, que tienen, bajo el pavimento, su cripta sepulcral.

En inmediata contigüidad a la capilla de Santiago se abre el difícil acceso a la *Capilla de los Reyes Nuevos*, que utiliza una de las pequeñas capillas de la vieja girola. Se llama así para distinguirla de la de los Reyes Viejos de la que ya hemos tratado. Los reyes se han movido mucho de sitio en la Catedral y los Trastamara o Reyes Nuevos, estaban antes enterrados a los pies de la iglesia, en là nave externa del lado del èvangelio, cortando su último tramo.

Fue pues idea laudable liberar la nave y llevar los enterramientos a otro lugar con mejor compostura. Como la Capilla Real impedía por su situación en el orden de las procesiones se solicitó del Emperador el traslado a una nueva planta encomendada por concurso a Covarrubias.

Era dificultoso encontrar sitio en tan disputada catedral, donde monarcas, nobles, prelados y dignidades se arrebataban los sitios para dormir el último sueño. Al fin se encontró una solución suficientemente digna al costado norte de la Capilla de Santiago, pero con difícil salida que puso a prueba el ingenio de Covarrubias. La capilla es más bien una pequeña iglesia de una nave con dos tramos y un ábside poligonal, a más del vestíbulo-corredor de entrada y una sacristía. Se construyó entre los años 1531 y 1534

54. *Capilla y Altar de San Ildefondo. A la derecha, el sepulcro renacentista obra de Vasco de la Zarza.*

y constituye la primera gran obra de Covarrubias en Toledo, pues con anterioridad había trabajado como escultor y como arquitecto en Sigüenza.

La Capilla de los Reyes Nuevos es uno de esos curiosos mestizajes que tanto se dan en la primera mitad del siglo XVI, cuando se sigue abovedando a lo gótico y se reserva para el léxico renacentista todo aquello que es decoración y accesorio. Los dos tramos de la capilla están cubiertos por unas extraordinarias bóvedas de crucería con múltiples nervios combados y bellísimas arandelas. Se separan ambos tramos por un fuerte arco apuntado con casetones y bellísimas labores platerescas. El primero hace de cuerpo de la iglesia y en él se añadieron tres altares neoclásicos de mármol y trazados por Ventura Rodríguez. Aquí se conservan algunas reliquias de la batalla de Toro. Traspuesta la reja de Domingo de Céspedes se penetra en el segundo tramo destinado a los sepulcros reales.

Están estos alojados en arcosolios renacentistas donde Covarrubias llegó al más exquisito gusto de su afiligranada manera. Sus temas nos recuerdan los de la Biblioteca Piccolomini en Siena. En el lado de la epístola están las tumbas de Enrique II y de Doña Juana Manuel, su mujer; en el del Evangelio los lucillos de Enrique III, el Doliente y doña Catalina de Lancaster. En el lado de la epístola puede verse además una estatua orante de D. Juan II, para recuerdo de este miembro de la dinastía enterrado en la Cartuja de Miraflores de Burgos.

En el arco de paso al presbiterio se dispusieron otros dos altarcitos neoclásicos que armonizan con el principal, obra de Mateo Medina. Sus dos columnas corintias enmarcan un lienzo de Maella que representa la Descensión. A los dos lados del Altar en sendos arcos se encuentran sobre sus restos las estatuas orantes de Juan I y de su mujer Doña Leonor de Aragón.

Dejando el panteón de los Trastamara,

55. *Sepulcro de Don Gil Carrillo de Albornoz en la capilla de San Ildefonso.*

nada más salir nos encontramos la *Capilla de Santa Leocadia*, cuya pétrea celosía flamígera concuerda con las vecinas de la Capilla de Santiago. Es muy oscura porque a ella se adosan las edificaciones de la Sacristía. Fue restaurada en 1536 por el Canónigo Juan Ruiz de Ribera, que allí está enterrado en una urna cineraria dentro de una hornacina. Un monumento parecido tiene su tío Don Juan Ruiz «el Viejo» en la pared frontera de la epístola. El retablo consiste en un marco de mármoles en blanco y negro con un lienzo de Santa Leocadia pintado por Ramón Seyro, discípulo de Maella, en 1786.

Con la *Capilla del Cristo de la Columna* terminan las de la girola. En su minúsculo recinto lo que es más de admirar es el retablo con tallas de Cristo atado a la columna entre San Pedro y San Juan orantes. Es obra posible de Copin de Holanda.

Pasada la capilla nos encontramos con un lienzo ciego en medio del cual se abre la Puerta de la Antesacristía rodeada de una serie de lápidas con las biografías de los arzobispos toledanos. En el tramos siguiente campea la portada marmórea de gran énfasis clásico que da entrada a la *Capilla del Sagrario y el Ochavo*. En estas piezas, que forman el conjunto de edificaciones herrerianas de la Catedral ya nos detuvimos al tratar de la arquitectura en la primera parte. No queremos repetirnos y saltaremos de nuevo al crucero para contemplar la fachada interior de la Puerta del Reloj, donde se admiran muy diversos medallones como el de la Virgen de la Anunciación, de Nicolás de Vergara y el del Arcángel San Gabriel, de Juan Bautista Vázquez. Encima, el cuerpo plateresco del Reloj, ejecutado por Diego de Velasco en 1545. Luego más cuadros y escudos y por último el rosetón, bellísimo, del siglo XIII con las vidrieras más antiguas de la Catedral.

56. *Exterior de la capilla de Don Alvaro de Luna.*

CAPILLAS DEL COSTADO NORTE

La primera de las capillas del costado norte, viniendo desde el crucero, es la de *San Pedro* que hace de parroquial y que es también como una pequeña iglesia de dimensiones parecidas a las de la Capilla de los Reyes Nuevos. La portada lleva los escudos del arzobispo Don Sancho de Rojas (1415-22) que nos dan la fecha. Resulta de un arte gótico rígido y mecánico bastante degenerado. Sobre la última arquivolta aparece el busto del arzobispo y de las catorce dignidades mitradas del cabildo. El lienzo de fachada donde se abre la portada está pintado al fresco, según unos, por Pedro de Berruguete, según otros, por Iñigo Comontes, sin que se sepa a ciencia cierta por quién.

El interior es de sencilla arquitectura gótica, que se dice estuvo pintada al fresco. Hoy abundan en este recinto los cuadros de Bayeu, empezando por el del altar principal exento. Está enterrado aquí Don Sancho de Rojas, el fundador.

Esta capilla queda entre dos Puertas, la del Reloj y la de *Santa Catalina,* que sale al claustro. Pertenece a la época en que se labró éste durante el pontificado del arzobispo Tenorio, cuyos escudos figuran también en la portada. Es obra lujosa de un gótico florido y con abundante imaginería por ambos lados. Todavía sigue el modelo del siglo XIII de arquivoltas apuntadas, tímpano y parteluz.

Sigue luego la *Capilla de la Piedad* fundación del canónigo y tesorero Alfonso Martínez que allí está enterrado. En el altar dedicado a Santa Teresa existe una imagen de Pedro de Mena o su taller.

La Capilla de la *Pila Bautismal* es notable por su reja, de Domingo de Céspedes, y por su pila bautismal de bronce ricamente decorada con motivo gótico renacientes. En esta misma capilla se acumulan retablos muy interesantes y una pintura moderna del ruso Robinski.

La Capilla de la Antigua tiene una verja forjada en 1634 con balaustres en abanico en su parte alta, como muchas que se hicieron en Vizcaya. En ella se venera la Virgen de la Antigua en el centro de un retablo de piedra. Se pensaba que era de la antigua Catedral, anterior a la invasión sarracena y por eso tenía muchos devotos.

La última de las Capillas que queda por este lado es la de *Doña Teresa de Haro,* vulgo del Cristo de las Cucharas. La fundó, Doña Teresa, mujer del mariscal Don Diego López de Padilla. El arco de la embocadura es trebolado, con los escudos de los fundadores graciosamente insertados. La reja termina en un airoso copete. El altar principal tiene un buen crucifijo de Ignacio Alonso, tallado en 1706. Se le llama de las cucharas porque el blasón de los López de Padilla lleva uno a modo de calderos o cucharones.

A continuación de esta capilla, en el lienzo de un muro hay dos pequeñas puertas, una de las cuales conduce al arco que comunica la catedral con el palacio arzobispal por encima de la calle.

Por último el lienzo norte termina con la *Puerta de la Presentación* que comunica con el claustro y que es de uso frecuente para entrar en el templo. Es una puerta plateresca que, acaso con dibujos del viejo Covarrubias, se construyó entre 1565 y 1599. La escultura de los medallones es de interés, sobre todo el de la cara exterior que representa la Presentación. Trabajó en ellos el escultor Pedro Martínez de Castañeda.

En nuestro recorrido por la nave lateral extrema del lado del evangelio, hemos podido contemplar como final de perspectiva la original portada de la *Capilla de San Juan,* del *Quo Vadis* o de la *Torre,* que de todas maneras se llama. La capilla en cuestión ocupa la planta de la torre y hoy aloja el Tesoro Mayor de la Catedral. Durante muchos años sirvió de Sacristía a la Capilla de los Reyes Nuevos, pero al trasladarse ésta el Cardenal Tavera pensó, en 1536, labrar allí su enterramiento, con lo que renovó su arquitectura y sobre todo su portada, peregrina muestra del ingenio de Covarrubias.

Quiso sin duda el arquitecto organizar un «pendant» de la portada de la Capilla mozá-

57. *Sepulcros de Don Alvaro de Luna y de Doña Juana Pimentel en la capilla de Santiago.*

rabe simétrica con relación a la nave mayor. Aunque los estilos difieran la organización es la misma en ambas: un arco de medio punto, una hornacina muy decorada encima y escudos laterales. Covarrubias cerró el arco e insertó en él una elegante puerta adintelada con columnas abalaustradas. En el tímpano colocó un busto de San Juan Bautista patrón del Cardenal Tavera. En la graciosa hornacina Olarte esculpió el grupo del Quo Vadis, recordando la antigua advocación de esta capilla. A ambos lados se duplican los escudos del Cardenal y los menores del ilustre canónigo López de Ayala que tanto hizo por la Catedral. El interior de la Capilla de San Juan hoy está agobiado por las vitrinas del Tesoro cuya nueva instalación se anuncia para pronto. Al hablar de las obras de arte, que, como fabuloso museo, guarda la catedral en piezas como esta, la Sacristía y sus anejos nos referiremos a lo más principal de este Tesoro.

No terminaríamos la descripción de las capillas de la Catedral si no tratáramos de una que se ha salido de nuestro itinerario por estar arrimada a un pilar en medio de las naves y no en la zona perimetral. Nos referimos a la *Capilla de la Descensión*, que más que otra cosa es un baldaquino o custodia pétrea arrimada a un gran pilar del templo. Según la piadosa tradición en el lugar que este altar consagra, es donde tuvo lugar la milagrosa imposición de la Casulla de San Ildefonso, que en forma casi emblemática la Catedral conmemora en mármoles, bronces, lienzos, bordados y joyas.

73

58. *Capilla de Santiago, sepulcros y retablo de Gumiel, Sancho de Zamora y Juan de Segovia.*

Se supone también que aquí debía estar el altar mayor de la basílica-catedral visigótica, pues en él se verificó la Imposición. En el costado del retablo un orificio permite ver la columna donde según tradición puso sus pies la Virgen.

El baldaquino terminado en pirámide o torre calada se dice ser de la renovación de la capilla llevada a cabo en tiempos del arzobispo Fonseca, pero su bellísima arquitectura gótico-flamígera parece un poco anterior. Puede ser que Fonseca restaurara y consolidara algo preexistente. El retablo de mármol cerúleo se encargó a Bigarny, en los últimos años de Fonseca († 1534) o en los primeros de Tavera. A la muerte de Bigarny (1543) lo terminó su hijo Gregorio Pardo con cuyo estilo concuerda bien. En 1610 lo restauró todo y le añadió una reja Don Bernardo de Sandoval y Rojas y por último Don Baltasar Moscoso y Sandoval (1646-1665) se hizo enterrar aquí, a los pies del altar, y renovó el frontal dejándonos uno bellísimo de mármol y bronce con un medallón central donde figura su retrato.

Tal es la descripción del templo con sus múltiples capillas y lugares de culto, devoción o eterno reposo. Dejaremos para otro y siguiente apartado el claustro, sus dependencias y la Capilla de San Blas y terminaremos con lo que bien podemos llamar el Museo Catedralicio propiamente dicho.

EL CLAUSTRO Y LA CAPILLA DE SAN BLAS

El claustro es la obra más considerable de aquel gran prelado que se llamó don Pedro de Tenorio (1376-1399). Era natural de Tavira, Portugal, y fue Obispo de Coimbra, antes de pasar a Toledo donde realizó obras muy importantes, no sólo en la Catedral sino en la ciudad y la región, por ejemplo el Puente de San Martín, el castillo de San Cervantes o San Servando, el Puente del Arzobispo y varios conventos de nueva fundación o reformados.

El claustro catedralicio es una obra considerable y de gran empeño por sus mismas dimensiones. Sin duda hubo que enajenar terrenos (el antiguo mercado que allí había), terraplenarlos y prepararlos para edificar, cosa que exigía tesón y talento organizador que no debían faltar al arzobispo.

Se encargó de las obras el arquitecto entonces de la Catedral, Rodrigo Alfonso. Se puso la primera piedra en 1389 y las obras debieron acabarse deprisa, pudiendo celebrarse las procesiones en los primeros años del siglo XV.

El claustro es muy sencillo, cada panda tiene cinco tramos que coinciden con los de las naves de la iglesia. Su planta es perfectamente regular y cuadrada y sus galerías miden cincuenta y dos metros cada una. Las bóvedas son cuatripartitas muy simples y el único motivo decorativo son las claves talladas con el escudo de Tenorio. Los ventanales tampoco tienen tracería de ninguna clase, careciendo de la galanura de otros claustros góticos. Solamente se cerraron con unas verjas dieciochescas durante el pontificado de Fernández Portocarrero (1678-1709).

El claustro según parece tenía pinturas con representaciones de la vida y pasión de Cristo que al estar muy expuestas a la interperie debieron casi desaparecer, lo que suscitó que el Cardenal Lorenzana pensara sustituirlas por otras de los pintores de cámara, Francisco Bayeu y Mariano Maella. Los frescos, en número de trece, comienzan en la galería de saliente a partir de la puerta de Santa Catalina y se extienden luego por la galería del norte. Los temas se refieren a los santos toledanos: San Eugenio (predicación, martirio y profanación de su cuerpo, revelación de dónde lo habían arrojado y traslado de sus restos a Toledo por Felipe II); Santa Casilda (la hija del rey moro consuela a los cristianos, sorprendida al llevarles comida ésta se convierte en rosas, muerte de Santa Casilda en tierras cristianas de Burgos); San Eladio (el Santo repartiendo limosna a los pobres) que figura en el primer espacio del ala norte pasada la puerta de la capilla de San Blás y Santa Leocadia. Con Santa Leocadia empezaba la serie encargada a Maria-

59. *Tabla del retablo de la capilla de Santiago con la efigie de Don Alvaro de Luna como donante.*

60. *Capilla de los Reyes Nuevos.*

61. *Sepulcros del Rey Enrique II y de Doña Juana Manuel, su mujer.* ▶

no Maella, que no pudo hacer más que dos (Santa Leocadia ante el Pretor Daciano y el martirio de la Santa). Las humedades del lienzo norte del claustro situado bajo el nivel de las calles y casas arrimadas le impidió seguir las obras.

Otros dos frescos nos quedan por reseñar, ambos del mismo Bayeu. El primero está en la cara interior de la *Puerta del Mollete* que es la única que comunica directamente el Claustro con el exterior. Es una sencilla pero graciosa puerta gótica labrada a comienzos del siglo XV por el Arzobispo D. Sancho de Rojas (1415-1422). No hay que confundir los blasones de Rojas con los de Fonseca, casi iguales. Se le llamó puerta del mollete porque allí se daba limosna a los pobres y un mollete de pan. El fresco del interior, partido en dos por la puerta, representa el rapto y el martirio del niño de La Guardia. Por eso se llama también a esta puerta del niño perdido. El siguiente fresco forma ángulo con la puerta y representa el prendimiento del ar-

zobispo San Eulogio entre los musulmanes que lo increpan.

Es una verdadera lástima que las series con tanto brío iniciadas por Beyeu y Maella no llegaran a completarse, pues hubiera sido el más grande conjunto mural de nuestra pintura dieciochesca. Son composiciones muy espectaculares, de gran monumentalidad, con un claroscuro y colorido muy efectistas dentro del más puro barroco setecentista.

En el claustro bajo no podemos pasar sin advertir una reliquia documental de gran valor, situada frente por frente al primer fresco de Santa Casilda. Es una columnita aparecida en 1591 al hacerse una excavación junto a San Juan de la Penitencia y contiene una inscripción, bien legible, de tiempos de Recaredo, señalando la consagración de la iglesia de Santa María (primera catedral toledana) el año 625 de la Era Hispánica, que corresponde al año 587 de nuestro calendario.

62. *Portada de la capilla de San Pedro.*

63. *Puerta de Santa Catalina que comunica al claustro con la Catedral.*

64. *Portada de la capilla de San Juan o del Tesoro.*

Encima del claustro bajo, el Cardenal Cisneros construyó un sobreclaustro para resolver diversos problemas funcionales de ese inmenso organismo que era la Catedral que, por mucho que apuraba cualquier resquicio de su inmenso solar, siempre estaba falta de sitio para sus mútiples dependencias, servicios y obligaciones. No ha merecido grandes elogios pero no deja de ser gracioso con sus galerías arquitrabadas sostenidas por vigas, zapatas y columnillas góticas de piedra, todo de aspecto popular y proporciones muy bajas que ayudan a su encanto. Desde estas galerías altas es desde donde se goza más del jardín, del sol y de muy bellas vistas sobre la torre y las naves del templo. No podemos detenernos en descubrir las muchas estancias que allí se alojan, junto con viviendas de ese enjambre de personajes muy diversos que pululan, aunque cada vez más reducidos en número, por el mundillo que es la Catedral. Campaneros, sacristanes, pertigueros, cerularios o perreros. Para subir directamente de la calle a esta ciudad claustral, Cisneros construyó una hermosa escalera con pretil labrado con labor gótica de claraboya a la que se llega directamente desde una revuelta de la calle Hombre de Palo.

Pero la perla —hoy escondida— del claustro es la Capilla de San Blás colocada al fondo de la galería de Saliente. Su portada se enfrenta con la de Santa Catalina. Es de elegante dibujo. Un arco apuntado con múltiples baquetones y crestones rampantes en el extradós se encuadra entre dos columnas rematadas por agujas góticas que terminan en una imposta horizontal. Dos hermosas estatuas de la Virgen y San Gabriel componen una Anunciación. En sendos recuadros se repite al león rampante, blasón del arzobispo Tenorio.

En efecto la Capilla de San Blás la construyó el arzobispo para su propio entierro y pensó situarla en el claustro, ya que este era su obra magna. Es de planta cuadrada y bóveda octogonal pasando del cuadrado al octógono mediante trompas en forma de bóvedas triangulares. Los paños verticales que-

65. *Capilla de la Descensión de la Virgen.*

66. *La gran custodia de Enrique de Arfe.*

67. *Cúpula del Ochavo o Relicario, con pinturas de Ricci y Carreño repintadas por Maella.*

dan divididos en tres partes en correspondencia con la bóveda. Triples arcos ciegos decoran las paredes y sirven para enmarcar las escenas pictóricas que son lo más preciado de esta extraordinaria capilla. Es el mejor conjunto de pintura trecentista de estilo sienés que pueda hallarse en Castilla. Según Diego Angulo fueron al menos dos artistas los que aquí intervinieron. El Juicio Final recuerda el del Camposanto de Pisa, poco anterior a la fundación de la Capilla. El Calvario, pleno de sabor giottesco, sería del autor de la Resurrección y el Pentecostés, la

Ascensión, el Descenso al Limbo y el Entierro parecen de mano más afín al arte de Simone Martini. Una firma de Juan Rodríguez de Toledo y la posible intervención de Gerardo Starnina es muy poca cosa para entrar con paso seguro en el conocimiento de esta serie pictórica, por desgracia incompleta, pues faltan diversos pasajes que se condenaron por representar escenas de simonía.

Riman perfectamente con la capilla los dos sepulcros centrales de Don Pedro Tenorio y Don Vicente Arias de Balboa, obispo de Plasencia, tallados por el escultor Ferrán González. Hemos dicho que la Capilla de San Blás es una perla, desgraciadamente escondida por llevar muchos años cerrada, esperando una restauración que no puede excusarse. Abrirla después de rehabilitar sus pinturas e iluminarla convenientemente sería una revelación.

EL MUSEO CATEDRALICIO

Es evidente que toda la Catedral es un verdadero museo y que sus naves, presbiterio, coro, capillas y dependencias rebosan de obras de arte, sobre las que nos hemos detenido con el margen que permitía esta publicación, pero si cabe, algunas de sus partes se presentan más decididamente como un verdadero museo donde multitud de objetos artísticos se exhiben en paredes y vitrinas, generalmente amontonados por falta de sitio. El continente es estrecho para el inverosímil contenido y es urgente ampliar el espacio y mejorar la ordenación y presentación. Cuando se escriben estas líneas se están llevando a cabo obras en torno al patio del Te-

sorero para resolver esta situación, sin que por el momento podamos aventurar opiniones. Por ahora debemos referirnos a las partes de este Museo como en la actualidad se encuentran, en la Capilla de San Juan o del Tesoro, en el Ochavo, en la Sacristía y ropero de canónigos.

No podemos dedicar al catálogo de estas obras de arte el espacio que quisieramos en razón de los límites de la publicación y de la reordenación que se anuncia. Nuestro trabajo se refiere a la Catedral como un todo, considerando especialmente aquello que está más adscrito a la arquitectura. Una casulla, un códice miniado, una arqueta con relicario o incluso una pintura de caballete no están tan ligados al organismo arquitectónico como un altar, un retablo, un mausoleo o una decoración mural. Por eso este trabajo no podrá suplir nunca a un verdadero catá-

68. *Arqueta de San Eugenio (s. XII).*

69. *La Sacristía Mayor.*

logo que en su día se haga de estos tesoros una vez ordenados y convenientemente presentados. No lo pretendemos tampoco y nos limitamos a dar una simple orientación, para que el viajero o el curioso conozca lo que existe de más valioso en estas estancias que ofuscan la mirada, la arrebatan y la confunden por la suma de maravillas que encierran.

El Tesoro. Al hablar de la Capilla de San Juan ya dijimos que en ella se había montado lo que se llama el Tesoro Mayor Catedralicio. Domina tal exhibición de preseas la gran Custodia de Enrique de Arfe, acaso la más eminente pieza de orfebrería de la Cristiandad. Al Cardenal Cisneros le pareció de poca prestancia la vieja custodia de plata blanca (desaparecida cuando los disturbios de las Comunidades) y encargó otra a Enrique de Arfe, platero alemán que encabeza una gloriosa dinastía de orfebres españoles. Duró el trabajo de 1517 a 1524 y es muy posible que Arfe se ayudara de diseños de Copin de Holanda y de Juan de Borgoña. Por su goticismo rezagado y complejo recuerda el arte de Copin cuyas filigranas pueden extremarse en el argentífero vehículo. Es casi imposible la descripción de esta buida torre calada y traforada por todas partes, que asciende hasta la cruz del remate como una dorada llama. Decimos bien, dorada, porque el Arzobispo Quiroga en 1594 ordenó que se desarmase para dorarla.

Al lado de la Custodia todo parece desvanecerse y tenemos que centrar nuestra atención para recapacitar sobre otras piezas insignes. Son de admirar una Virgen chapada de plata semejante a la del Sagrario, otras de marfil (s.XIV), de alabastro y de boj; un retablito italiano del siglo XIII; varios relicarios de San Eugenio, San Ildefonso, Santa Lucía y San Sebastián; cálices bellísimos, el románico llamado de la Reina Mora, el del Cardenal Mendoza y tantos otros, platerescos y barrocos; también navetas, portapaces, como el del árbol del paraíso del Cardenal Mendoza; cruces y mangas procesionales como la cruz del Arzobispo Carrillo; báculos como el francés del siglo XIII, con esmaltes le-

mosinos; riquísimas vestiduras como los mantos de la Virgen del Sagrario y otros objetos preciados por el docto oficio de sus artífices.

Debemos citar también la espada que se supone de D. Fernando de Antequera, la bandeja de plata repujada del Rapto de las Sabinas, marcada con el punzón del Flamenco Matías Melinc, el vaso del unicornio de Felipe el Hermoso, un fastuoso jarro de plata con esmaltes y turquesas, una imagen de Santa Ana, de oro y esmalte, verdadera joya, posiblemente de origen alemán y que pertenece al tesoro de la Capilla de los Reyes Nuevos. La orfebrería barroca italiana nos ha dejado las esculturas que simbolizan las cuatro partes del mundo, unas matronas sobre esferas o globos terráqueos que sostienen animales propios de cada una de esas partes. Estan fechadas en 1695 pero son desgraciadamente anónimas. Las regaló la Reina Mariana de Neoburgo.

Aunque no se trate de joyas por la materia preciosa, sí lo son por el primor artístico el San Juan Bautista, de Montañés, y el San Francisco, de Pedro de Mena, esculturas que unas veces se han exhibído en la Capilla de San Pedro y otras en la del Tesoro.

EL OCHAVO

Esta suntuosa pieza de orden corintio, recamada de mármoles y cubierta por una cúpula con pinturas de Ricci y Carreño, es otro verdadero tesoro. En los siete arcos de sus paños se cobijan unas especies de retablos convertidos en anaquelerías de reliquias. Las reliquias se guardan en arquetas, en bustos, en ampollas y en pirámides o vasos de cristal, cuando no en receptáculos de las más variadas formas.

En el arco Central luce el Altar plateresco de plata de Pedro de Medina y Diego Vázquez, que sirve de monumento en Jueves Santo (1514). A ambos lados los sarcófagos de Santa Leocadia y de San Eugenio, obras de platero Francisco Merino.

Aquí estaban la arqueta románica de San

71. *Techo de la Sacristía Mayor pintado al fresco por Lucas Jordán. El asunto representa la imposición de la Casulla a San Ildefonso.*

Eugenio al parecer española por su filigrana y cabujones de vidrio y otras dos francesas, que han pasado luego al Tesoro.

Sobresalen dos relicarios en forma de busto, uno de San Mauricio, regalo del Antipapa Benedicto XIII y otro de San Sebastián; uno en forma de mano, que guarda la de Santa Lucía, regalo del Cardenal Albornoz (s. XIV) y que está adornado con exquisitos esmaltes y dos en forma de estatuillas de San Fernando y San Agustín, preciosa labor barroca de Virgilio Fanelli.

Se conservan también en este «sacrarium» la urna con cruz de Calatrava donde reposan las cenizas de San Raimundo de Fitero, el *lignum Crucis* sobre cruz de ébano y plata regalo de Felipe II y dos espinas de la corona de Cristo, una de ellas, regalo del Archiduque Alberto de Austria, guardada en un fanal sostenido por un ángel de plata con alas de oro esmaltadas. También excede de nuestros límites el inventario completo de este Relicario que pasando de las ochenta piezas es la más portentosa lipsanoteca que puede soñarse.

ANTESACRISTIA Y SACRISTIA

La primera es una pieza rectangular alargada decorada por buenos lienzos de Carducho, Caxés, Ricci y Jordán. Desde ella pasamos a la Sacristía, verdadero centro de la Pinacoteca catedralicia. La pieza, de grandes dimensiones, es un salón rectangular cuyo eje es perpendicular al de la Antesacristía. Su arquitectura, de Vergara y Monegro, es de pureza herreriana que valora su nívea blancura. El Cardenal D. Luis de Borbón quería revestirla de mármoles, de acuerdo con el arquitecto Ignacio Haan, lo que hubiera sido un grave error. La actividad de Haan quedó reducida al altar de mármoles que ennoblece, pero no valora, el máximo cuadro de la pinacoteca catedralicia: El Expolio, del Greco.

Lo primero que llama la atención al entrar en la inmensa Sacristía es el contraste entre las blancas paredes y el fastuoso techo de Lucas Jordán, radiante de color. La pintura del napolitano llena por completo la bóveda de cañón con lunetos y es pieza de bravura a las que nos tiene acostumbrados el «fa presto». Representa la Imposición de la Casulla a San Ildefonso, tema permanente en la Catedral.

Además del Expolio la Sacristía guarda quince lienzos más de la mano del Greco. Un apostolado completo, el mejor de los suyos, una Virgen, un Santo Domingo orante y un Cristo con la Cruz. También figura, a los pies del Expolio, un grupo esculpido en madera que representa la Imposición de la Casulla y que se debe al pintor cretense.

No es de este lugar ni el análisis de estos cuadros del Greco ni menos añadir adjetivos encomiásticos a su obra. Baste con decir que si Toledo y su arte se integran de tan peculiar manera, la Catedral, al emigrar tantas obras de otros conventos e iglesias toledanas, tiene el mérito de haberlas conservado, incluso cuando su figura quedó oscurecida antes de su universal glorificación.

Otra de las obras capitales que guarda esta Pinacoteca es el Prendimiento de Jesús o Beso de Judas, por Goya. Ante el Expolio, la brutal escena goyesca, estaba como preterida pero este cuadro, recientemente limpiado, se considera hoy como una de las más alucinantes y asombrosas pinturas del aragonés.

Al lado de estas dos cimas los otros lienzos palidecen con ser muchos de ellos dignos de presidir salas de grandes museos. Citaremos los más importantes. Tres composiciones del valenciano Orrente que denuncian, sobre todo su Aparición de Santa Leocadia, la deuda contraída con Veronés; un cuadro de gran composición de Pantoja representando a San Agustín fundador; un tríptico de Juan de Borgoña; un retrato de Don Bernardo de Sandoval por Tristán; una Sagrada Familia atribuida a Van Dyck; un retrato, posiblemente de Goya, el del Cardenal Borbón; un cuadro de Bassano el mozo que representa el Diluvio y varios Cartones de tapiz, copias de Solimena y Jordán, al parecer regalados a Lorenzana por Carlos III.

72. *Santiago el Menor, del* Apostolado *del Greco, en la Sacristía Mayor.*

En el Vestuario que es una estancia aneja a la Sacristía, con un techo pintado por Claudio Coello y José Donoso, podemos contemplar dos soberbios retratos: el del Papa Paulo III por Ticiano y el del Cardenal Don Gaspar de Borja por Velázquez. De este último existen otras versiones en Francfort y Nueva York, dudándose cual será el original. No desmerece de estos el notabilísimo Entierro de Cristo, de Giovanni Bellini. Completan estas series otros cuadros de Morales, Bassano, Guercino, Reni, Rafael Mengs, Seghers, Mario dei Fiori y algunos posibles Rubens y Zurbarán, bastantes para crear un gran Museo.

En la misma Sacristía, expuestos en vitrinas en forma de atril o pupitre, se exponen algunos de los más valiosos códices de la Catedral, sobrepujando a todos la Biblia Rica de San Luis, Rey de Francia, que data de 1250 y contiene setecientas cincuenta miniaturas a toda plana con riquísimo colorido y fondos de oro y escenas menores en las páginas manuscritas hasta contar cinco mil en sus tres tomos. El Barón de Rosmithal dudaba de que existiese en el mundo una biblia igual a esta que Alfonso X, vinculó a la Corona de Castilla y León.

También se exponen en estas vitrinas un Misal de León X, el Pontifical de Julio II y varias decretales con miniaturas boloñesas.

A continuación del Vestuario puede visitarse la Colección de Indumentaria distribuida en dos Salas, una cuadrada que sirve de antesala y otra mayor. Advertirnos que con las reformas que se están llevando a cabo en esta parte de la Catedral para reordenar las colecciones todo esto podrá variarse.

73. *Capa del Arzobispo Don Sancho de Aragón.*

COLECCION DE INDUMENTARIA

La primera pieza que nos sorprende es la capa que en un tiempo se atribuia a Don Fernando de Antequera, porque sólo este monarca podía usar emblemas heráldicos que pertenecían a la corona de Castilla por su ascendencia y a la de Aragón por su designación tras el Compromiso de Caspe. Ahora, con más verosimilitud se piensa que sería del Arzobispo Don Sancho de Aragón, hijo de Jaime I. El prelado murió en 1275 y la preciosa capa corresponde muy bien con la segunda mitad del siglo XIII.

Si esta es una capa heráldica, elegantísima en su sobriedad, la del Cárdenal don Gil de Albornoz destaca por su lujo y filigrana. Es obra impresionante del bordado gótico de típo inglés, con escenas bíblicas y santos donde predominan los de nación inglesa.

El capillo y algunas bandas bordadas es todo lo que queda de la suntuosa capa que llevara Carlos V el día de su coronación cesárea en Aquisgrán.

Son innumerables los ternos y capas pluviales de los siglos XVI y XVII obra de los magníficos bordadores toledanos de estas centurias. El padre del arquitecto Alonso de Covarrubias fue uno de ellos.

Aquí se guardaba antes el pendón de Lepanto, que hoy cuelga al fondo de la nave central del Museo de Santa Cruz, pero todavía se custodian algunos interesantes trofeos de guerra como el estandarte árabe ganado en la batalla del Salado. Son también notables dos *paños ricos* que pertenecieron a los Reyes Católicos y que llevan la divisa del Tanto Monta. Pudieron servir de reposteros para decorar la tienda real durante la campaña de Granada.

Aunque desaparecieron durante la guerra civil unos riquísimos superhumerales, todavía queda uno que a pesar de ser más pobre cuenta entre sus bordados diez jacintos, trece amatistas, oro y perlas.

Es imposible describir por su número y abundancia los lujosísimos ternos, dalmáticas, albas, capas, capillos, superhumerales y mitras, que unas veces regalo de los arzobispos, como Cisneros y Fonseca, que los donaron magníficos, otros de canónigos y prebendados, llenan las vitrinas en espera de ser mejor expuestos. El ajuar catedralicio consta de setenta ternos de los diferentes colores litúrgicos.

Por último es espléndida la serie de tapices, que desgraciadamente no puede admirarse en su integridad por falta de espacio. Algunos han pasado en depósito al Museo de Santa Cruz y otros pueden verse decorando los muros de la Catedral en la solemne festividad del Corpus.

La serie mejor es la de doce tapices flamencos tejidos en Bruselas con cartones de Rubens por Van den Hecke. Fueron regalo del Arzobispo Fernández Portocorracero que los hizo tejer *ex-profeso* con escenas alusivas a la iglesia y Santos toledanos. El número de tapices flamencos de los siglos XVI y XVII, alcanza la muy considerable cifra de setenta y dos.

La acumulación de riquezas en esta Catedral es algo que excede a toda ponderación y que ha otorgado al templo el título de Dives Toledana (Toledo la rica) lo mismo que a la Catedral Vieja de Salamanca se la llamó la Fortis Salmantina y a la de León la Pulchra Leonina.

BIBLIOGRAFIA SUMARIA

AMADOR DE LOS RÍOS, J.: *Toledo Pintoresca*. Madrid, 1845.

PARRO, SIXTO RAMÓN: *Toledo en la Mano o descripción histórico artística de la magnífica Catedral y de los demás célebres monumentos*. Toledo 1857.

PALAZUELOS, VIZCONDE DE: *Toledo*. Toledo, 1890.

PÉREZ SEDANO, F.: *Notas del Archivo de la Catedral de Toledo, redactadas sistemáticamente en el siglo XVIII*. Prólogo de Elías Tormo. Madrid, 1914.

ZARCO DEL VALLE, MANUEL R.: *Documentos de la Catedral de Toledo*. Prólogo de Elías Tormo. Madrid, 1916.

LAMBERT, ELIE: *Toledo*. París, 1925.

GONZÁLEZ SIMANCAS, M.: *Toledo: sus monumentos y el arte ornamental*. Madrid, 1929.

TORMO Y MONZÓ, ELÍAS: *Toledo: Tesoro y Museos*. Madrid s.a.

TORRES BALBÁS, L.: *Arquitectura gótica («Ars Hispaniae». T. VII)*. Madrid, 1952.

AZCÁRATE, J. M.: *La Arquitectura gótica toledana del siglo XV*. (Col. «Artes y Artistas»). Madrid, 1958.

GAYA NUÑO, J. A.: *Alonso Berruguete en Toledo*. Barcelona, 1944.

CHUECA GOITIA, R.: *Historia de la Arquitectura Española. Edad Antigua, Edad Media*. Madrid.

CHUECA GOITIA, F.: *Madrid, Toledo (World Cultural Guides)*. Londres.

RIVERA, JUAN FRANCISCO: *Guía de la Catedral de Toledo*. Toledo, 1953.

GUDIOL RICART, J.: *La Catedral de Toledo*. Madrid, s.a.

AINAUD DE LASARTE, J.: *Toledo*. Barcelona, 1947.

Por considerarlo de consulta más difícil no hemos hecho referencia a los artículos de revista, aunque algunos son esenciales para el estudio de los múltiples problemas históricos que plantean la Catedral y sus obras de arte.

* * *

INDICE